com a participação de
Annie Bensaïd
Marie-Pierre Guiho-Bailly
Patrick Lafond
Marie Grenier-Pezé

PSICODINÂMICA DO TRABALHO: CASOS CLÍNICOS

SOB A DIREÇÃO DE
CHRISTOPHE DEJOURS

tradução
Vanise Dresch

Porto Alegre • São Paulo
2025

4ª IMPRESSÃO

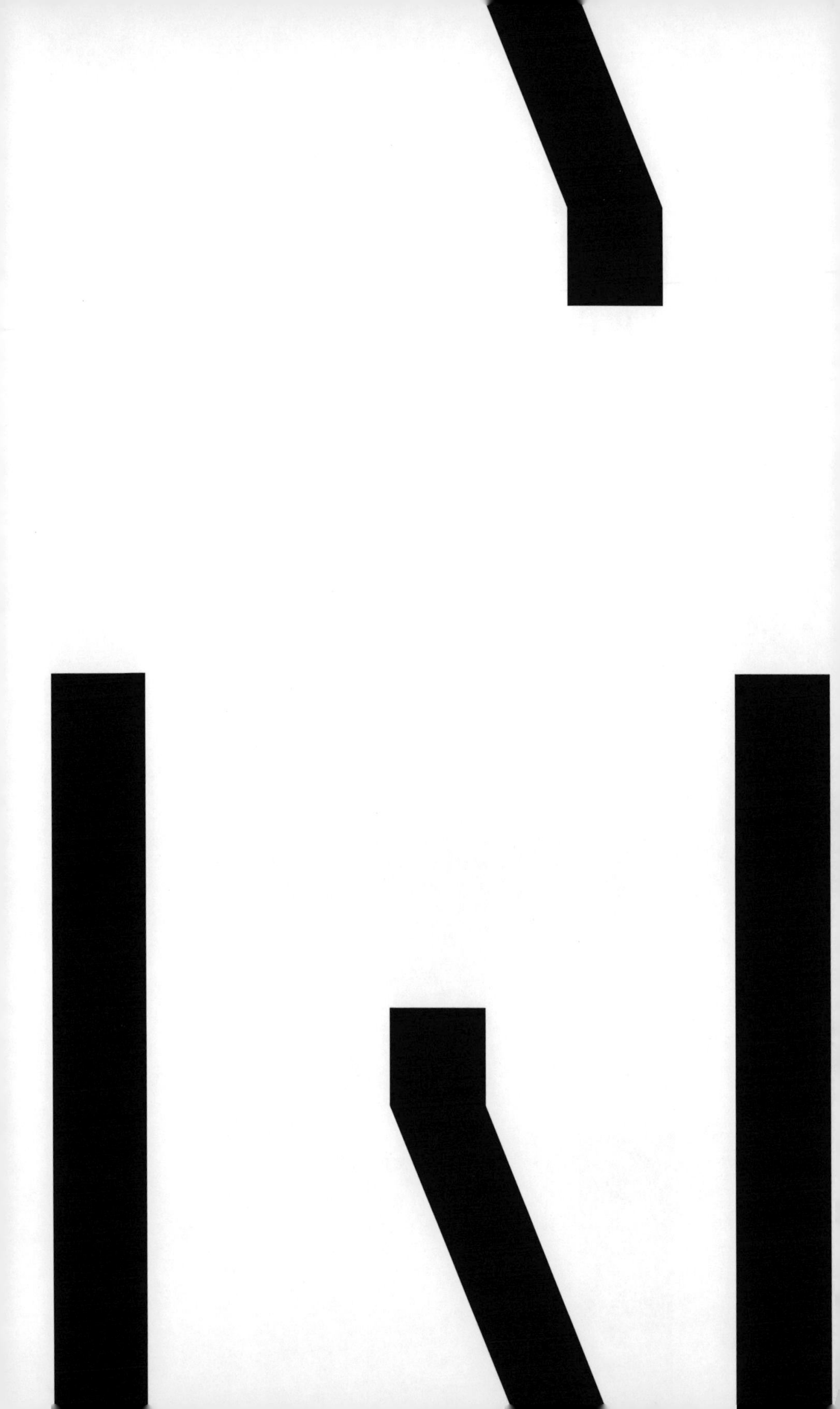

PREFÁCIO

A **psicopatologia** do trabalho constitui apenas uma parte da **psicodinâmica** do trabalho. Esta, na verdade, amplia sua investigação em um campo que tem se tornado cada vez mais extenso nos últimos tempos. A tese da "centralidade do trabalho" abrange, hoje, cinco dimensões:

- A centralidade do trabalho no que diz respeito à saúde mental.
- A centralidade do trabalho no que diz respeito às relações sociais entre homens e mulheres (o gênero).
- A centralidade do trabalho no que diz respeito às transformações da urbe.
- A centralidade do trabalho no que diz respeito à economia.
- A centralidade do trabalho no que diz respeito à teoria do conhecimento (epistemologia).

A psicodinâmica do trabalho procura dar conta não somente do **sofrimento** no trabalho e das patologias mentais a ele relacionadas, mas também das condições em que o trabalho é fonte de **prazer**, podendo desempenhar um papel na construção da saúde (sublimação).

Mas a psicodinâmica do trabalho não é apenas uma **teoria** da relação subjetiva com o trabalho e de seus reflexos nas outras disciplinas constitutivas das ciências humanas e sociais. Trata-se também de uma prática. Essa prática se desenvolve principalmente em dois terrenos:

- No terreno das empresas, dos órgãos administrativos ou das instituições, com o objetivo de restaurar as condições de possibilidade de uma deliberação: deliberação coletiva orientada para a busca de uma ação racional capaz de transformar a organização do trabalho para restituir-lhe sua força de mediadora na realização pessoal.
- No consultório, em atendimento e acompanhamento de pacientes que sofrem de transtornos psicopatológicos relacionados com o trabalho.

No Brasil, são, sobretudo, os ergonomistas, engenheiros, psicólogos do trabalho, profissionais da saúde (enfermagem), sindicatos e juristas que recorrem à psicodinâmica do trabalho como referência para pensar as transformações da organização do trabalho. Por outro lado, a psicodinâmica do trabalho usada como referência na prática psicoterapêutica e psicanalítica é ainda mal conhecida nesse país. Este é o campo específico da psicopatologia do trabalho, que, na França, contudo, tem se desenvolvido muito há vários anos. O objetivo deste livro é pôr à disposição dos profissionais casos clínicos que ilustram a abordagem psicoterapêutica quando esta se preocupa especificamente com os efeitos dos constrangimentos engendrados pelo trabalho sobre o funcionamento psíquico dos indivíduos.

Podemos considerar três níveis de análise: a clínica, a teoria e a prática. A **clínica** é o *corpus* de conhecimentos voltados para a identificação dos sintomas, das síndromes e das doenças que um paciente apresenta e que permitem fazer um diagnóstico dos transtornos dos quais se queixa. A **teoria** é o conjunto de conceitos que possibilita compreender como a subjetividade é mobilizada no trabalho, ou seja, o que pertence à subjetividade, de um lado, na formação da inteligência do indivíduo (engenhosidade) e, de outro, na inteligência coletiva (cooperação). A teoria é indispensável para a compreensão do trabalho vivo e de seus efeitos benéficos ou nocivos para o funcionamento psíquico de cada paciente, em particular. Em compensação, a teoria não traz diretamente resposta nem solução para tentar **resolver** os conflitos psíquicos que afligem um paciente. É unicamente através de sua **prática** que o psicoterapeuta consegue encontrar e inventar o caminho que dará ao paciente a possibilidade de elaborar novos compromissos entre a organização psicossexual herdada da infância e a organização do trabalho que lhe é imposta pela empresa ou pela instituição onde trabalha. O instrumento essencial da prática é a **escuta**: escutar para tentar compreender o que diz e vivencia o paciente. Escutar é buscar. Mas buscar compreender o quê? A aptidão do psicanalista não repousa apenas em talentos individuais de sensibilidade, tato ou intuição. Ela resulta essencialmente dos conhecimentos teóricos de que dispõe o profissional. Se eu escutar a música de Schubert com base apenas em minha sensibilidade espontânea, poderei sentir algum prazer e adquirir algum conhecimento, mas se aprendi a teoria do contraponto, da fuga e da harmonia, entenderei certamente muito mais coisas nessa música do que um leigo. E se forem os *Lieder* de Schubert, entenderei alguma coisa, é claro, mesmo desconhecendo a língua alemã. No entanto, se compreendo o texto do poema de amor de Goethe, com o qual Schubert trabalhou para escrever sua música, então, ao escutá-la, posso ficar tão emocionado que não consiga evitar derramar lágrimas.

Minha sensibilidade, portanto, não depende apenas de minha espontaneidade. A sensibilidade é conceitual, e quanto mais conhecimentos teóricos eu tiver, mais aumento minha sensibilidade à escuta. Os conceitos da psicodinâmica do trabalho são necessários ao clínico para instrumentalizar sua escuta e aumentar sua sensibilidade à fala do paciente quando este contar sua experiência do trabalho vivo. E quanto mais conhecimentos se tem, maior é a curiosidade e mais se desenvolve o desejo de buscar e compreender – é o que Freud designa pelos termos *Wisstrieb* e *Forschertrieb* (pulsão de saber, pulsão de investigar) em "Leonardo da Vinci e uma lembrança de sua infância". Quanto mais extensa for a capacidade de investigar do terapeuta, mais chances tem o paciente de compreender uma parte de saber sobre o seu próprio trabalho que, até então, ignorava. Essa parte, que estava nele em estado de experiência vivida, torna-se então um conhecimento que poderá ser usado pelo paciente para inventar novos caminhos para sua vida. É o que Freud denomina *Durcharbeitung* (elaboração).

A psicopatologia do trabalho não seria possível sem a metapsicologia freudiana. Em contrapartida, a escuta do trabalho vivo pode ser uma via para enriquecer a prática e a teoria psicanalíticas. Já se consideram os aportes da clínica e da psicopatologia do trabalho para a psicanálise em várias sociedades psicanalíticas mundo afora. Na América Latina, principalmente na Argentina, no Chile e no México, as discussões se desenrolam há vários anos.

Na Europa, várias sociedades começaram a se debruçar sobre a clínica do trabalho, não só na França, mas também na Itália, em Portugal, na Espanha, na Bélgica e também na Alemanha, onde este livro foi traduzido[1].

Na América do Norte, seminários foram realizados na Sociedade Psicanalítica de Montréal, e o livro, publicado em inglês pela editora Karnac[2], foi apresentado no Congresso da IPA em Boston, em 2015. Apesar disso, é muito modesto o

1 "PSYCHOPATHOLOGIEN DER ARBEIT. Klinische Fallstudien". Brandes & Apsel Verlag GmbH. Fankfurt a. M. (2012). Trad.: Achim Russer.

2 "PSYCHOPATHOLOGY OF WORK: Clinical Observations". Karnac Books limited (2015). Transl.: Caroline Williamson.

lugar que a comunidade psicanalítica internacional reserva à clínica do trabalho.

O Brasil é provavelmente o país do mundo onde a psicodinâmica do trabalho é mais bem conhecida e mais discutida. Paradoxalmente, as relações entre psicanálise e psicopatologia do trabalho têm sido pouco debatidas nesse país. Foi José Carlos Calich que tomou a iniciativa de publicar *Psicodinâmica do trabalho: casos clínicos* em português. Psicanalista e bom conhecedor da psicanálise francesa, ele submete, assim, à crítica de seus colegas brasileiros um material clínico reunido, na França, por especialistas. Por todas as razões que foram apresentadas neste prefácio, desejo expressar-lhe minha gratidão.

CHRISTOPHE DEJOURS
Novembro de 2016

APRESENTAÇÃO

Este livro tem por objetivo pôr à disposição dos psicopatologistas "casos clínicos" da psicopatologia do trabalho, isto é, histórias de pacientes cujos transtornos põem em xeque a situação de trabalho. Não se trata, portanto, de um tratado, nem mesmo de uma introdução à psicopatologia do trabalho. Outras obras foram dedicadas a esse tema: Louis Le Guillant, *Quelle psychiatrie pour notre temps?* (Toulouse, Érès, 1985); Paul Sivadon, Adolfo Fernandez-Zoïla, *Temps de travail et temps de vivre* (Bruxelles, Pierre Mardaga, 1983; rééd. 1996); Isabelle Billiard, *Santé mentale et travail. L'émergence de la psychopathologie du travail* (Paris, La Dispute, 2001); Joseph Torrente, *Le psychiatrie et le travailleur* (Paris, Doin, 2004); Marie-Claire Carpentier-Roy, *Corps et âme: psychopathologie du travail infirmier* (Montréal, Liber, 1991; rééd. 1995); Marie-Claire Carpentier-Roy, Michel Vézina, *Le travail et ses malentendus* (Québec, Presses de l'Université Laval, et Toulouse, Octarès, 2000); Pascale Molinier, *Les enjeux psychiques du travail. Introduction à la psychodynamique du travail* (Paris, Payot, "Petite Bibliothèque Payot", 2006; rééd. 2008); Christophe Dejours, *Travail, usure mentale* (Paris, Bayard, 1980; nouv. ed. augm. 2005).

A finalidade, aqui, é principalmente o enfoque das questões que se apresentam ao profissional, em seu consultório ou no hospital, quando atende um paciente que diz não conseguir mais suportar o trabalho. A queixa do paciente revestiria uma síndrome de perseguição, dissimularia uma síndrome de fracasso, alimentaria um masoquismo que busca uma testemunha complacente? É o que às vezes acontece, e o trabalho, então, é apenas um cenário, enquanto a origem do drama está em outro lugar, numa história que começou bem antes do desencadeamento da crise.

Todavia, encontra-se também a conjuntura inversa: o paciente sofre indiscutivelmente de uma descompensação psicopatológica, mas o papel do trabalho nessa crise é tão ambíguo que escapa, às vezes, ao próprio paciente. Isso acontece nos dois primeiros casos apresentados neste livro. No primeiro caso, trata-se de uma descompensação somática grave, que leva o paciente a uma unidade de tratamento intensivo (por uma crise asmática aguda). No segundo caso, relatado por Annie Bensaïd, o delírio de perseguição que leva à hospitalização não apresenta questão profissional. Então, nada na sintomatologia chama a atenção do clínico para o trabalho. Isso indica que a psicopatologia do trabalho nem sempre se apresenta de imediato; o profissional, às vezes, precisa buscá-la intencionalmente, pois ela não virá até ele de maneira espontânea.

No terceiro caso clínico (apresentado por Marie-Pierre Guiho-Bailly e Patrick Lafond), em que é relatado um caso de estado confusional, percebe-se muito bem como o trabalho, em um primeiro tempo, serviu de mediação eficaz à paciente para a recuperação de sua saúde mental. E compreende-se como, em um segundo tempo, sucedendo-se a uma transformação da organização do trabalho, a atividade profissional torna-se deletéria e leva a paciente a uma impressionante descompensação psicopatológica de aspecto demencial.

O quarto caso clínico traz uma jovem paciente que busca atendimento por apresentar transtornos que afetam sua vida sexual. A análise mostra que o trabalho é um poderoso mediador de autorrealização, mas, ao mesmo tempo, a fonte de um conflito relativo à identidade sexual. Mais do que os anteriores, este caso mostra como a relação com o trabalho intrinca-se com a economia sexual. A dimensão do gênero já estava presente nos dois primeiros casos sob a forma de uma virilidade que, nas profissões de risco (construção civil), é posta a serviço de estratégias coletivas de defesa, necessárias para vencer o medo e continuar a trabalhar. Porém, no quarto caso, o gênero manifesta-se por um conflito entre virilidade e "muliebridade", que acaba por gerar um verdadeiro transtorno da identidade sexual (a "muliebridade" – do latim *muliebris* – designa as formas de comportamento cuja articulação caracteriza especificamente a condição feminina: discrição, servidão, submissão, renúncia, etc.).

Encontraremos novamente o gênero no quinto caso clínico (relatado por Marie Grenier-Pezé), sob a forma de uma compulsão à "dessexualização" em uma gestora que trabalha num ambiente masculino (senhora T.). Neste caso, o trabalho aparece em primeiro plano na queixa e nos sintomas que levam a consultar, sob forma de assédio moral. Porém, a vítima do assédio (Solange) vem consultar alguns meses antes de a senhora T., a executiva que exerceu o assédio contra Solange, adoecer e procurar a mesma médica. Esse caso é especialmente interessante pelo fato de mostrar como a escuta específica da relação com o trabalho possibilita desconstruir a lógica do assédio moral, a qual não poderia ser reduzida de maneira simplista a uma história entre um perverso e sua vítima. Com base nisso, pode-se analisar e tratar os transtornos psicopatológicos, mas a elaboração não passa pelos caminhos comuns tomados na clínica convencional.

O sexto caso clínico refere-se à análise de um caso de suicídio no trabalho. Não há dúvida de que, aqui, a relação com o trabalho desempenha um papel na passagem ao ato suicida. Porém, mesmo quando as injustiças e os maus-tratos estão em questão, o psicopatologista pode ter dúvidas sobre o que se deve especificamente ao trabalho e o que provém da própria personalidade ou da estrutura do paciente na gênese da crise. O estado depressivo muito severo que antecede o suicídio deve-se tão somente, principalmente ou acessoriamente ao trabalho? Não é fácil avaliar esses diferentes graus de atribuição da causa. No caso apresentado, os argumentos da discussão são examinados um a um e darão uma ideia das dificuldades que o clínico tem de enfrentar.

Por fim, nesse último caso, como nos cinco primeiros, perceberemos que, para o profissional, o problema principal é a *etiologia*, ou seja, a identificação do processo em jogo na gênese da crise. A questão da investigação etiológica é de suma importância, não só para o progresso dos conhecimentos em psicopatologia, mas também para a condução terapêutica. De fato, em função do diagnóstico etiológico, a orientação do atendimento pode mudar completamente. No entanto, é, muitas vezes, impossível fazer o diagnóstico etiológico em uma única entrevista. Deve-se admitir, então, que, num primeiro tempo, na prática, a atitude racional consiste em estabelecer uma aliança com o paciente sobre um primeiro trabalho a realizar: médico e paciente devem procurar compreender juntos como sucederam os acontecimentos e, especialmente, como os esforços do paciente para resistir à descompensação foram insuficientes. Depois, é necessário, muitas vezes, passar pela análise retrospectiva dos períodos anteriores, quando a relação psíquica com o trabalho ainda era apropriadamente organizada, para trazer à tona os recursos e os talentos mobilizados pelo paciente para administrar sua relação quando a situação era mais favorável. Na verdade, quando o trabalho gera prazer, em regra, não é somente a sorte que está em questão. Para aproveitar uma situação de trabalho aceitável ou favorável, é preciso, também, bastante habilidade para dela se apropriar e não comprometê-la nem desperdiçá-la.

Esses casos clínicos foram escolhidos por mostrar de forma bastante convincente que, sem a atenção especificamente voltada para o trabalho e sem um mínimo de conhecimento nem cultura sobre o mundo do trabalho, podemos passar totalmente ao largo do diagnóstico etiológico e, assim, cometer erros de orientação terapêutica que agravam o sofrimento dos pacientes e alimentam a doença.

O papel da relação com o trabalho nas doenças mentais, tanto quanto na construção da saúde, é muito mais importante do que se admite geralmente. Em outras palavras, a relação com o trabalho está sempre presente, tanto na construção da saúde mental quanto na gênese da doença. Ou, para dizê-lo de outra maneira ainda, a relação com o trabalho nunca é neutra no que se refere à saúde mental. Porque, se o trabalho pode gerar o pior, como nos casos apresentados neste livro, ele também pode gerar o melhor. Graças ao trabalho, muitos seres humanos têm a oportunidade de desenvolver sua identidade e fortalecer sua saúde mental. Inversamente, aqueles que são privados de trabalho por causa do desemprego são privados do direito de dar uma contribuição à empresa, à sociedade, até mesmo à cultura. E, em troca, são privados das gratificações maiores do reconhecimento, do qual a maior parte dos homens e das mulheres dificilmente prescinde para adquirir uma autoestima ou mesmo para amar a si mesmo.

A principal dificuldade, no plano da investigação etiológica, está em conseguir fazer a distinção entre o que vem do trabalho e o que vem da esfera privada, ou mesmo íntima, na etiologia de uma descompensação.

Essa questão já foi abordada acima em relação ao caso clínico nº 6, sobre o suicídio no trabalho. Mas vale retomá-la mesmo assim. Se essa distinção é tão difícil, é porque as categorias de trabalho e extratrabalho opõem-se em relação às características materiais e espaciais. No entanto, essa separação entre trabalho e extratrabalho não é pertinente para a vida psíquica.

Para resistir ao sofrimento gerado pelos constrangimentos do trabalho pode ser necessário desenvolver defesas sutis e sólidas, mas tais defesas comprometem toda a personalidade. Por isso, têm grandes reflexos nas condutas e atitudes na esfera privada, até mesmo na economia dos corpos e nas relações amorosas. Se levarmos em conta, além disso, as relações de dominação que os homens exercem sobre as mulheres, isto é, de gênero, a intrincação entre trabalho e esfera privada torna-se ainda mais estreita e complicada, pois, ao trabalho na esfera da produção soma-se a questão da divisão do trabalho na esfera doméstica. E essa divisão na esfera privada nunca é independente da relação de cada homem e de cada mulher com o trabalho na esfera produtiva.

Quando a relação com o trabalho desestabiliza-se sob o efeito de constrangimentos maiores, da sobrecarga, das injustiças, do assédio, do medo ou da ameaça de demissão, os efeitos sobre a economia das relações familiares, com o cônjuge e com os filhos, são consideráveis. Em outras palavras, quando a relação com o trabalho torna-se patogênica, surgem frequentemente consequências deletérias no espaço privado, sob a forma de conflitos afetivos que se tornam então "secundários" à deterioração da situação de trabalho. Atribuir a descompensação aos conflitos no espaço privado – porque conflitos familiares existem efetivamente – é, às vezes, um erro de análise em que se tomam as consequências pela causa.

Inversamente, os conflitos graves e os sofrimentos que surgem no espaço privado têm seguidamente efeitos danosos sobre a capacidade de trabalho e a aptidão para participar das relações a serem mantidas com os outros para que se possa dar uma contribuição pessoal à cooperação dentro de uma equipe. Em compensação, às vezes é graças a um poderoso investimento no trabalho, até mesmo a um superinvestimento transitório, que certos indivíduos conseguem combater os efeitos psíquicos danosos de um luto ou da doença de um ente querido.

Os elementos descritos nesta apresentação são fragmentos. São abordados aqui para lembrar que a separação entre trabalho e extratrabalho não é pertinente do ponto de vista do funcionamento psíquico. Tais elementos também foram reunidos para sugerir que a análise da relação subjetiva com o trabalho deveria ser feita em todas as situações clínicas, mesmo quando a queixa não se refere diretamente ao trabalho, como mostram os quatro primeiros casos apresentados neste volume.

Para sintetizar e concluir a apresentação deste livro, diremos que a psicopatologia do trabalho não diz respeito apenas aos médicos do *trabalho* e aos psicólogos do *trabalho*. Ela mereceria ser conhecida por todos os clínicos que trabalham na área da psicopatologia, mesmo quando não se especializam no campo do trabalho.

O objetivo deste livro é sensibilizar para a psicopatologia do trabalho os profissionais que ainda não a conhecem e detalhar suficientemente essa clínica para fornecer àqueles que já a conhecem um "material" que possibilite aprofundar os argumentos na discussão etiológica.

CHRISTOPHE DEJOURS

N.B. Os casos clínicos aqui reunidos já foram publicados em diversas obras ou revistas especializadas. Alguns são antigos e se tornaram praticamente inacessíveis. Outros, mais recentes, foram reformulados. As publicações iniciais são as seguintes:

Capítulo I – C. DEJOURS, "Folie et travail: de l'analyse étiologique aux contradictions théoriques", *Psychiatrie française,* 1996, 2: 123-140.

Capítulo II – A. BENSAÏD, "Apport de la psychopatologie du travail à l'étude d'une bouffée délirante aiguë", *Archives des maladies profissionnelles*, Paris, Masson, 1990, 52: 307-310.

Capítulo III – G. DONIOL-SHAW, M. P. GUIHO-BAILLY, "Emploi, conditions de travail et santé des employées dans les services", *Cahiers du* MAGE, 1996, 4: 15-23.

Capítulo IV – C. DEJOURS, "Centralité du travail et théorie de la sexualité", *Adolescence*, 1996, 14: 9-27.

Capítulo V – M. GRENIER-PEZÉ, "La fabrique des herceleurs", *Ils ne mouraient pas tous mais tous étaient frappés. Journal de la consultation "Souffrance et Travail" 1997-2008*, Pearson Education France, 2008, p. 11-32.

Capítulo VI – C. DEJOURS, "Nouvelles formes de servitude et suicide", *Travailler*, 2005, 13: 53-74.

CAPÍTULO I

LOUCURA E TRABALHO: DA ANÁLISE ETIOLÓGICA ÀS CONTRADIÇÕES TEÓRICAS (ACERCA DE UMA CRISE ASMÁTICA)

CHRISTOPHE DEJOURS

CHRISTOPHE DEJOURS exerceu a psiquiatria em meio hospitalar, é psicanalista e professor titular da cátedra Psicanálise-Saúde-Trabalho, no Conservatoire National des Arts et Métiers.

INTRODUÇÃO

Agrade-nos ou não, precisamos admitir que as questões clínicas e teóricas levantadas pelo impacto dos constrangimentos da vida profissional sobre a saúde mental permanecem desconhecidas pelos psiquiatras. Todo mundo sabe, vagamente, que existe por aí uma corrente de pesquisa chamada de "psicopatologia do trabalho". Mas são poucos os que sabem mais do que isso. Quantos ouviram falar de Louis Le Guillant? Quem se lembra do conteúdo dos trabalhos da Liga Francesa de Higiene Mental? Quem leu as pesquisas de Claude Veil sobre o trabalho? Quem conhece as teorizações de Adolfo Fernandez-Zoïla sobre a vivência do trabalho? Por outro lado, todos ouviram falar das pesquisas sobre o estresse no trabalho, o *burn out*. Mais pela mídia e pelas revistas semanais de informação do que pelas revistas científicas, mas, de resto, não há muito interesse porque essa corrente de pesquisa se desenvolve dentro de um marco behaviorista: ao alcance dos diretores de recursos humanos e outros gestores, certamente, mas um pouco sucinta e simplista demais para o profissional que se interessa pela discussão psicopatológica e etiológica.

A relação subjetiva com o trabalho desempenha um papel primordial nos processos envolvidos tanto na construção da saúde quanto nas descompensações psiquiátricas e psicossomáticas. O trabalho não pode ser considerado apenas um dissabor gerado socialmente, origem de todas as afecções somáticas (toxicologia médica) e mentais (alienação) mais viciosas. Os danos mentais ocasionados pelo desemprego estão aí para demonstrar o contrário. Porém, seria um erro servir-se dessa nova psicopatologia para justificar uma apologia tola ao labor, segundo a qual "o trabalho" seria "a saúde".

Todavia, as contradições com as quais se depara a clínica das relações felizes e infelizes com o trabalho não deveriam desanimar o psicopatologista. Essas contradições são inteligíveis. Para alguns pesquisadores em psicologia, antropologia, sociologia e economia, o trabalho ocupa um lugar central no funcionamento da sociedade, na produção das riquezas e nas economias nacionais, assim como no funcionamento psíquico e na construção da identidade. A "*centralidade do trabalho*" é a expressão empregada na comunidade científica para designar a tese que defendem esses pesquisadores (Jacques de Bandt *et al.*, 1995).

A psicopatologia produz argumentos decisivos que corroboram essa tese. O trabalho está longe de ser trocado por investimentos substitutivos. Aqueles que dispõem de tempo liberado têm, essencialmente, empregos temporários e precários, ou estão desempregados, e nada evidencia que tirem disso vantagens substanciais em relação à luta pela saúde. Ao invés disso, parece que a escassez ou a privação de atividade e emprego remunerados os coloca em situação de maior precariedade em relação à saúde.

Não concordamos de modo algum com as teses sobre o fim do trabalho, cuja validade não é maior que a daquelas sobre o fim da história. No entanto, deveríamos reconhecer seu forte impacto sobre o *Zeitgeist* e a formação dos pontos de vista, não somente dos cidadãos, mas também dos próprios cientistas. A recusa social do trabalho, bastante difundida, acaba por ter um impacto sobre os próprios psiquiatras, que se veem um pouco desorientados diante da discrepância entre o que a clínica comum do desemprego, da pobreza, da precariedade, etc. lhes dá a ver e o que lhes prometeu o discurso triunfalista que considera "o fim do trabalho" como a entrada da civilização ocidental na "era da liberdade".

O interesse pífio que os psicopatologistas manifestam pela centralidade do trabalho tem certamente, também, outras causas já sentidas antes da crise do emprego. Não é possível examiná-las no âmbito deste artigo. Porém, se sua análise fosse conhecida pelos profissionais, o resultado seria, talvez, um movimento de curiosidade pela psicopatologia e pela psicodinâmica do trabalho que poderia ter impactos significativos na prática da psiquiatria. A principal dificuldade, contudo, não será vencida tão logo. Ela reside no fato de que o trabalho é um enigma tão opaco quanto o inconsciente. Assim como do inconsciente, todo psiquiatra tem do trabalho alguma experiência. Mas, entre experiência do inconsciente e elaboração dessa experiência, é preciso percorrer a distância de um passo, mas que pode custar vários anos de divã. Elaborar a experiência do trabalho, que é, antes de tudo, experiência da sociedade, até mesmo no uso que é feito de si mesmo e de seu corpo, é também uma questão difícil. E, no entanto, todos nós possuímos essa experiência, como sugere a teoria de Ignace Meyerson (1948), retomada e discutida por Fernandez-Zoïla (1996), para quem o trabalho é uma função psicológica. Existe uma mina clínica de inestimável riqueza, mas que não é explorada pela psiquiatria corrente.

Este texto destina-se a quem intui a "centralidade do trabalho" e deseja ter uma ideia do que envolve a clínica da relação subjetiva com ele.

Para isso, um caso clínico nos servirá de apoio. Embora se tratando de uma forma de descompensação bem comum, sua discussão etiológica é bastante complexa. Para poder abordá-la, mesmo de forma sintética, é necessário dispor, previamente, de alguns elementos conceituais de psicodinâmica do trabalho. Em seguida, passaremos ao relato do caso do senhor A. Discutiremos a etiologia da descompensação na perspectiva psicanalítica e psicossomática. Por fim, esboçaremos os efeitos das duas análises etiológicas sobre a condução do tratamento. Disporemos, então, de alguns elementos para refletir sobre a seguinte questão: como duas teorias etiopatogênicas tão contrastadas, até mesmo contraditórias, podem ser simultaneamente pertinentes?

O TRABALHO E O MEDO

O exemplo em que nos apoiaremos vem da construção civil. Uma das características do trabalho nesse setor de atividade, em relação a outras situações de trabalho da indústria ou dos serviços, é o tamanho dos riscos de acidente. Já se dedicou muita atenção às consequências dessas condições de trabalho para a saúde do corpo, mas é menor o interesse pelas consequências dessa exposição aos riscos sobre o estado psicológico desses operários. Estes adotam condutas que deveriam despertar nossa curiosidade, especialmente em relação à prevenção e à segurança. Opõem, com muita frequência, algum tipo de resistência passiva e manifestam, às vezes, uma má vontade evidente para respeitar as normas de segurança e cooperar com os especialistas em prevenção. Não haveria nisso um paradoxo? Como é possível que a comunidade mais afetada por acidentes no trabalho se oponha a medidas justamente destinadas a sua proteção?

Se examinarmos atentamente, constataremos que, entre esses mesmos operários, a desobediência e a indisciplina são práticas não apenas correntes, mas também de *conotação positiva* como sinais externos de coragem. Além da resistência à prevenção, esses operários apresentam certo gosto pelas manifestações ostentadoras de força muscular, de agilidade, até mesmo de proezas físicas. Pior do que isso, às vezes, reforçam artificialmente os riscos do canteiro de obras, organizando concursos de bravura, séries de provas de força, destreza e coragem. Esses concursos estão integrados na vida ordinária do trabalho. Tomam uma forma mais espetacular quando um novo operário chega ao canteiro de obras. São feitas demonstrações, mas também é testado o recém-chegado, podendo até mesmo lhe serem impostas verdadeiras corridas de obstáculo. Ou o candidato adota essas convenções do canteiro de obras, ou é ridicularizado, e logo depois excluído, até mesmo perseguido, até renunciar ao trabalho e ir embora. A denúncia do desviante passa por desqualificações que tomam seguidamente a forma pejorativa de acusações segundo as quais o contraventor se comporta como uma mulher, ou até como um "veado", etc. Na comunidade desses operários, cultiva-se um gosto marcado pelo acerto de contas "entre homens", isto é, se necessário, passando às vias de fato. *Conserere manus*[1] é também uma conduta com conotação viril.

Todas essas condutas articulam-se, além disso, com um *discurso* sexual específico. A coragem, a força, a temeridade, a desobediência estão associadas ao *viril*. Não é permitido, ao contrário, queixar-se, mesmo quando se está sofrendo. Não é permitido manifestar qualquer interesse pela saúde do seu corpo, pela sua saúde mental, não é permitido falar de medo, consequentemente, também não é permitido demonstrar muito apreço pela prudência, interessar-se muito pela segurança e pela prevenção. Queixar-se, estar angustiado, vacilar são atitudes denunciadas como tipicamente afeminadas.

O gosto pelas bebidas alcoólicas pode ser facilmente compreendido nesse contexto. Elas facilitam a sociabilidade e a convivência entre homens e, portanto, a coesão do coletivo. Sobretudo, o álcool possui uma poderosa ação ansiolítica que, além do mais, é perfeitamente *dissimulada*. O álcool é um substrato que apresenta todas as qualidades de um medicamento para garantir a virilidade e ajudar a combater o medo.

Trata-se, portanto, de um sistema que associa:

- Uma reticência e uma desobediência à prevenção.
- Comportamentos perigosos de desafio aos riscos.
- Uma disciplina rigorosa em relação aos sinais externos de coragem.
- Proibições absolutas a qualquer alusão ao medo ou ao sofrimento.
- Um discurso que modula todos os comportamentos, atitudes e condutas em relação a uma escala virilidade/feminilidade.

Esse sistema aparentemente paradoxal revela sua coerência se entendermos que esses operários, na verdade, são

1 N.T.: Expressão latina que significa “entrar em litígio”.

consumidos pelo medo, pelo próprio fato de sua exposição aos riscos de acidente.

Ora, esse medo, se vivenciado sem dissimulação, seria simplesmente incompatível com a continuação do trabalho do modo como este é organizado, em situação real, nos grandes canteiros de obras. É por essa razão que os operários são levados a construir o sistema defensivo descrito, cuja finalidade é justamente lutar contra a percepção consciente do medo.

A NOÇÃO DE ESTRATÉGIA DEFENSIVA E A QUESTÃO DA NORMALIDADE

Não tratarei, aqui, dos mecanismos internos de funcionamento dessas condutas, contentar-me-ei apenas em apontá-los, daqui em diante, como *estratégias defensivas* (Dejours, 1980) destinadas a lutar contra o sofrimento psíquico que o fato de trabalhar em um clima de ameaça implica.

Insistirei, sobretudo, no *valor funcional fundamental* dessa estratégia defensiva adotada pelos operários da construção civil. Percebe-se que ela apresenta desvantagens incontestáveis na medida em que atrapalha as campanhas de prevenção, contribui de certa maneira para uma resistência à mudança e até mesmo, às vezes, aumenta os riscos ao perigo já existente, notadamente por ocasião dos concursos coletivos de coragem e bravura, com acidentes que não demoram a ser condenados. Parece, contudo, essencial entender a necessidade prática dessas condutas paradoxais. Sem elas, a organização do trabalho e os constrangimentos concretos do canteiro de obras seriam humanamente insustentáveis.

Evitar os juízos pejorativos tão frequentemente emitidos pelo enquadramento e pelo leigo no assunto acerca desses comportamentos supostamente aberrantes não é uma dificuldade para o psiquiatra, acostumado a circular por diversos setores da sociedade e a não ceder a reações afetivas ou sociais irrefletidas.

A dificuldade, para o psiquiatra, está em outro ponto. Mesmo conseguindo suspender seu juízo, ele não consegue conter facilmente sua tendência a fazer diagnósticos psicopatológicos diante de qualquer conduta humana que seja submetida a sua apreciação.

Esses comportamentos de bravata, indisciplina, provocação, insolência, risco, tabagismo ou alcoolismo deveriam poder ser reconhecidos sem serem logo considerados como sinais de inconsciência, de inconsequência, de imaturidade, de mentalidade arcaica, de personalidade psicopatológica ou de tendência delinquente. Não quer dizer que não existam, dentre os operários da construção civil, alguns psicopatas, mas muito mais porque esses diagnósticos repousam em conhecimentos que fazem referência à *psicopatologia* e não à *psicodinâmica da "normalidade"*. Evidentemente, está fora de propósito tratar aqui do sentido que pode ser atribuído, na clínica, à normalidade, mas convém assinalar que essa noção ocupa um lugar central na psicodinâmica do trabalho desde 1980.

Muitos psiquiatras certamente pensam que conhecem a normalidade por possuírem uma experiência clínica e um conhecimento teórico da loucura. No entanto, a psicodinâmica do trabalho (clínica e teoria da "normalidade" em situação de trabalho) não pode ser sobreposta à psicopatologia do trabalho clássica (a de Louis Le Guillant e de Jean Bégoin, 1957), precisamente pelo fato de ser, em primeiro lugar, investigação psicológica das situações *ordinárias*, nas quais as pessoas conseguem conjurar a doença mental, e não investigação de descompensações mentais extraordinárias. Sem dúvida, a psicanálise, que questiona a separação convencional entre doença mental e normalidade, é a via régia para pensar uma psicodinâmica da normalidade. Porém, ela não poderia constituir uma teoria da normalidade. A normalidade é uma conquista, e as "estratégias" mobilizadas para mantê-la não são conhecidas nem pela psiquiatria, nem pela psicanálise. Na medicina, como na psiquiatria, a tendência é apreender a normalidade, ou mesmo a saúde, a partir de *conceitos negativos*: ausência de doença, silêncio dos órgãos, etc. Essa concepção é errônea. A saúde do corpo é o resultado da luta encarnada (permitam-me a metáfora) de regulagens fisiológicas contra as perturbações físico-químico-biológicas. É bem diferente de um estado passivo de ausência de doença caracterizado negativamente. A mesma coisa acontece, parece-me, com a saúde mental. Existem, neste caso também, "regulagens" muito sofisticadas que mobilizam dinâmicas intersubjetivas, não somente no campo afetivo (que a psicanálise conhece), mas também no campo das relações sociais e dos vínculos civis, que a psicanálise ignora e que são estudadas principalmente pela sociologia e pela antropologia da saúde, mas também pela psicodinâmica do trabalho.

Um mesmo comportamento não tem o mesmo sentido quando se articula a uma estratégia sofisticada de luta pela saúde ou quando está inscrito numa síndrome de descompensação psicopatológica.

Isso não é um detalhe, pois não se trata apenas de uma questão de perspectiva de análise. Trata-se de duas vocações funcionais *radicalmente diferentes*. Num caso, o consumo de álcool é um meio poderoso, eficaz e idôneo de luta para enfrentar os constrangimentos do trabalho sem enlouquecer. No outro, o consumo de álcool revela, ao contrário, o transbordamento das defesas psiconeuróticas, marca a precariedade da economia psicossomática e contribui para degradar o estado mental e somático do paciente.

NORMALIDADE OU PATOLOGIA? O MÉTODO COMPREENSIVO

Como saber se essa conduta se insere numa ou noutra dinâmica? Infelizmente, não é possível fazer essa discriminação a partir do exterior. Somente o sujeito, individualmente, ou os trabalhadores, coletivamente, podem nos dar a direção certa a seguir para a interpretação.

Desde que, contudo, o clínico tenha condições de ouvir. Para isso, ele precisa não apenas abster-se de qualquer juízo, como vimos anteriormente, mas também suspender seu saber, seus conhecimentos e seus pressupostos. Não que deva renunciar a eles e abandoná-los, mas, pelo contrário, deve deixá-los à espera, para ouvir a palavra do "sujeito do trabalho".

Assim, a primeira implicação metodológica da psicodinâmica do trabalho é a defesa de um método *compreensivo*, que devemos aos profissionais das ciências sociais e não das ciências humanas (o que não deixa de ser uma incongruência da história, mas que deve ser assumida!).

De acordo com essa abordagem, toda conduta, toda postura, todo discurso no trabalho, mesmo quando parecem ser os mais aberrantes para o observador externo, mesmo quando lembram síndromes patológicas para o especialista, são considerados racionais em relação à saúde, em primeira intenção, por não dizerem respeito a personalidades isoladas; racionalidade, até mesmo legitimidade, por terem geralmente uma função precisa na economia do sujeito (ou dos sujeitos), em relação aos constrangimentos reais do trabalho, em seu esforço para manter-se dentro da *normalidade*.

Por "abordagem" ou "método compreensivo", queremos dizer que o pesquisador ou o clínico postula como objetivo fundamental de sua investigação a busca do sentido que as condutas e os discursos têm *para os operadores* antes de decidir qual sentido tem para o próprio pesquisador (Alfred Schütz, 1987).

Ter acesso ao sentido de uma conduta para o sujeito supõe, para o pesquisador ou o clínico, renunciar a qualquer função de expertise e a qualquer diagnóstico estabelecido a partir da análise de sinais externos objetivos. A abordagem compreensiva é decididamente subjetivista (mesmo que a prova de validação do sentido – trazido à tona por esse procedimento – se esforce *a posteriori* para objetivar seu status). "Nem juiz nem especialista", essa seria então a máxima que poderíamos propor ao psiquiatra interessado na "centralidade do trabalho".

A NOÇÃO DE COLETIVO:
DA ESTRATÉGIA COLETIVA À CONSTRUÇÃO DO COLETIVO DE TRABALHO

Outro ponto que eu gostaria de ressaltar é a *construção* dessas estratégias defensivas. Em primeiro lugar, para assinalar que essas condutas não são naturais, mas passam por uma elaboração simbólica.

Esse sistema complexo de defesa contra o medo é o resultado de uma construção *coletiva* e não individual. A estratégia que acaba de ser descrita é produzida pelos coletivos de trabalhadores, mas é também estabilizada, controlada e mantida *coletivamente.* O exemplo dos jovens operários ou dos aprendizes é ilustrativo nesse ponto. Não só cada um deve aceitar essas provas organizadas pelo coletivo, como também o recém-chegado deve trazer para dentro do coletivo sua própria contribuição. Inversamente, quem não adota a estratégia defensiva torna-se, por si mesmo, pelo seu comportamento "medroso", uma ameaça para a estabilidade da estratégia defensiva e, portanto, para o equilíbrio psíquico dos outros trabalhadores. É devido a essa dimensão coletiva que se dá a essas estratégias a denominação de *estratégias coletivas de defesa.*

Digo ainda que não só são construídas pelo coletivo, mas, além disso, contribuem de maneira essencial, fundamental e até mesmo fundadora para a construção e a estabilização do *coletivo de trabalho.* É por compartilharem a disciplina implicada na estratégia coletiva de defesa que os operários se reconhecem entre eles como membros do coletivo e que podem estabelecer relações mútuas de confiança e solidariedade.

Por fim, assinalo que se manifesta, às vezes, uma espécie de perversão, se posso empregar esse termo, entendido aqui de forma estritamente prosaica, uma perversão, portanto, da estratégia coletiva de defesa a que chamamos de "*ideologia defensiva de profissão*". Essa "perversão" surge quando os operários idealizam a estratégia defensiva, e esta adquire tal rigidez que não pode mais ser discutida nem criticada. Os operários correm o risco de se tornarem vítimas dela, na medida em que a ideologia defensiva torna-se inexpugnável, impedindo então qualquer evolução, mesmo positiva, da relação com o trabalho, com as exigências organizacionais e os riscos. Mas deixemos de lado as "ideologias" e voltemos às "estratégias".

Existe, assim, uma série de estratégias coletivas de defesa, sempre específicas da situação de trabalho. Podemos mostrar, se nos aprofundarmos mais, que o *sofrimento*, do qual as estratégias defensivas tentam assumir o controle mental, está sempre intimamente ligado às exigências *organizacionais* do trabalho. Em outras palavras, todo o campo da saúde mental no trabalho remete à organização do trabalho, enquanto a saúde física remete, sobretudo, às condições de trabalho.

SOFRIMENTO NO TRABALHO E SAÚDE MENTAL (NO PLANO INDIVIDUAL)

Quais são as consequências dessas estratégias coletivas de defesa para a economia psíquica e o equilíbrio mental desses trabalhadores? É possível mostrar que o sofrimento oriundo do trabalho penetra no espaço privado e na intimidade de cada um de nós, atingindo assim o próprio "material" que é dado à investigação clínica do psiquiatra.

O senhor A. é argelino. Tem pouco mais de quarenta anos. Não tem certeza de sua data de nascimento. Trabalha na França, na construção civil, há cerca de quinze anos. Sua mulher deve ter entre trinta e oito e quarenta anos de idade, e tiveram seis filhos, dos quais o primogênito tem vinte anos e o mais novo, dezoito meses. Sendo o único que trabalha na família, ele tem de sustentar nove pessoas: seus seis filhos, sua mulher, sua sogra e ele mesmo. Ganha menos de mil euros por mês, sai para trabalhar às quinze para as seis da manhã e volta para casa à noite por volta das oito e quinze da noite.

Há cerca de dois anos, começou a apresentar uma dispneia noturna. Faz dois meses que não dorme durante a noite devido ao agravamento dessa dispneia. Dias atrás, desencadeou, no canteiro de obras, uma crise asmática.

A entrevista com esse paciente é bastante desconfortável por causa das grandes dificuldades de manejar a língua francesa. Parece ser um homem bastante simpático, que sorri com facilidade e que se mostra muito cooperante. Não entende o que está lhe acontecendo, perdeu, nos últimos meses, uns quinze quilos. Foi profundamente afetado por esse novo mal que lhe tira a capacidade de trabalhar. Não se diz deprimido, mas insiste no fato de que não tem mais ânimo para trabalhar. Não tem mais força, não tem mais desejo de ir à obra, nem disposição, e sua falta de ânimo é manifestamente, para ele, sinal de que "não é mais um homem" e está doente.

O problema, do ponto de vista psicopatológico, é compreender por que essa asma surgiu subitamente há dois anos. Ao interrogar o paciente, tem-se a impressão de que nenhum acontecimento, nenhuma circunstância precisa, nenhuma condição específica em sua vida mental, afetiva, profissional ou material podem ser apontados no período que antecede o surgimento da doença ou concomitante ao seu início. Na impossibilidade de apoiar-nos nas associações do paciente, nas relações que ele não estabelece, em todo caso, entre os eventos somáticos e os eventos psíquicos, estaríamos inclinados a nos contentarmos em buscar uma etiologia orgânica para essa asma: etiologia profissional, por exemplo. É, pois, realizando uma investigação relativamente diretiva, buscando reconstituir uma biografia ou, ao menos, uma diacronia dos acontecimentos, que podemos propor aos poucos uma construção sobre a etiopatogênese de sua moléstia.

Desde 1971, o senhor A. tenta trazer sua mulher e seus filhos para a França. Sem sucesso. Impossível conseguir uma moradia popular (na França, HLM[2]). Durante anos, ele trabalha obstinadamente, na solidão, poupando. Vive em locais improvisados e alojamentos em canteiros de obras, com alguns colegas que se encontram na mesma situação que ele.

2 N.T.: *Habitation à loyer modéré*. Sistema de moradia popular subvencionado pelo Estado.

Comunidade de homens. Durante esse período, ele não sofre de nenhum sintoma somático, nenhum sintoma psiconeurótico. Faz dois anos que conseguiu, finalmente, uma moradia, por intermédio de um "amigo", ou seja, mediante uma alta quantia de dinheiro paga a um compatriota bem colocado na prefeitura de S., que lhe consegue, como por milagre, um apartamento de três dormitórios.

Ele traz então sua mulher, e esta logo engravida do filho que tem hoje uns dezoito meses. O paciente não estabelece nenhuma relação entre as duas coisas, mas as datas coincidem perfeitamente: a asma começou no período em que sua esposa veio para a França. Impossível encontrar situações graves de conflito com ela, ou porque o paciente as esconde, ou porque simplesmente não existem. Ao contrário, quando fala de sua esposa, ele manifesta claramente uma grande ternura e verdadeira afeição por ela. Esse casamento não é o resultado de uma combinação familiar feita pelos pais. Foi ele que encontrou sua mulher, escolheram-se mutuamente, e a lembrança dessa época de sua existência desperta nele alegria e sorrisos, acompanhados por certo embaraço e certa timidez por relembrar tais pensamentos perante um médico.

Tento, na medida do possível, fazê-lo falar de sua mulher e seus filhos. Dois deles ficaram na Argélia, com a sogra do senhor A. Os quatro mais jovens vieram com a mãe para junto dele. Quando falo sobre a saúde de seus filhos, ele se expressa com entusiasmo. Manifesta claramente muito interesse pelos filhos, de maneira inabitual, parece-me, nesse contexto.

Quando lhe pergunto se a vida era mais fácil antes ou depois da chegada de sua mulher, ele me responde imediatamente que a vida se tornou muito mais agradável desde que ela chegou. Antes, explica, era difícil para ele, pois raramente tinha notícias da esposa e dos filhos, não sabia se estavam bem ou doentes. Desde que eles chegaram, o senhor A. se preocupa com a saúde deles e sente-se mais tranquilo por tê-los com ele e poder cuidar dos filhos e da esposa. No entanto, é justamente desde a chegada deles que o paciente sofre de insuficiência respiratória.

Vejamos como podemos compreender a história psicopatológica desse paciente: até a chegada de sua família, esse homem estabelecia com o medo, a doença e os estados do corpo uma relação de domínio mediada pelas estratégias coletivas de defesa dos operários da construção civil. Porém, durante todo esse período, ele vivia apenas entre homens, em alojamentos em canteiros de obras, homens que, como ele, compartilhavam os riscos do trabalho e as estratégias coletivas de defesa. Durante toda essa fase de sua existência, a vida fora do trabalho (isto é, o espaço privado) entrava em sintonia e em complementaridade com a economia defensiva em relação às exigências do trabalho.

INVESTIMENTO DA VIDA PROFISSIONAL *VERSUS* INVESTIMENTO DA VIDA PRIVADA

Em compensação, quando sua mulher e seus filhos chegam, tudo muda. Por quê? Ao interrogar o paciente, descubro uma economia familiar bastante diferente do que a experiência clínica revela geralmente. Na maioria das vezes, ouve-se o relato de uma vida essencialmente ocupada pelo trabalho, enquanto o tempo livre é passado fora da família – em bares, entre homens, jogando dominó, por exemplo – ou dedicado a qualquer outra atividade – militante, associativa, cultural ou social –, mas sempre sem a esposa e os filhos. O tempo passado em casa é então reduzido ao mínimo, e o homem demonstra apenas um interesse distraído pela vida e pelos problemas dos membros de sua família. Em geral, os assuntos relativos à escola, à saúde, à economia do lar e a todas as tarefas domésticas são confiados à mulher e às filhas mais velhas. E o homem se mostra com frequência ignorante ou mesmo pouco interessado na vida do lar.

Esse tipo de economia das relações intersubjetivas na vida afetiva e familiar e, em maior escala, no espaço privado não é fruto de um simples "conformismo cultural" próprio dos magrebinos, por exemplo; é encontrado tanto entre os operários da construção civil no Brasil como entre aqueles da construção civil e obras públicas na França. Ao contrário, é fruto de uma articulação obtida entre lógica da estratégia coletiva de defesa e da virilidade defensiva contra o medo no canteiro de obras, de um lado, e organização das relações no espaço privado, de outro lado, de modo que a continuidade seja assim estabelecida e mantida. Viril no canteiro de obras, o homem expõe também sua virilidade em comportamentos privados, desde que os parceiros do espaço privado o tolerem ou aceitem cooperar (o que nem sempre acontece, mas, neste caso, a crise familiar é inevitável).

Em outras palavras, esses comportamentos dos homens da construção civil em casa são o resultado de um alinhamento, até mesmo de uma "solidariedade técnica" (para plagiar Nicolas Dodier, 1995), com os esforços do homem para respeitar os constrangimentos das estratégias coletivas de defesa. Tudo o que diz respeito à saúde, à doença, ao sofrimento, à dor, ao corpo, ao sangue, aos acidentes, etc. é de certa forma poupado ao homem que trabalha, pelo seu entorno.

Assim, por intermédio das dinâmicas defensivas, realiza-se aquilo que, em termos sociológicos, é designado pela expressão: articulação, coordenação e coerência entre relações de *produção* (trabalho) e relações de *reprodução* (família).

Porém, no caso do senhor A., descobre-se algo muito diferente. Enquanto eu buscava conflitos entre ele e sua esposa, ou mesmo violência entre eles (ou praticada contra as crianças) – o que é frequente –, descubro, ao contrário, que o senhor A. se dá bem com a esposa, a quem ama de verdade. Isso também me espanta, pois não é tão frequente nessas famílias magrebinas em que os casamentos são geralmente arranjados pelos pais por razões sociais e comerciais. Peço-lhe alguns esclarecimentos e fico sabendo que isso não aconteceu com ele. Foi ele que conheceu sua mulher, no final da adolescência, e logo se apaixonou por ela. Sentiram amor um pelo outro e decidiram juntos pelo casamento..., ainda se amam.

Sempre que dispõe de tempo livre, o senhor A. volta para casa e passa esse tempo em família. Ama seus filhos, preocupa-se com os estudos deles, mesmo que não possa ajudá-los, e, sobretudo, é muito cuidadoso com a saúde deles. Ocupa-se disso diretamente e os acompanha espontaneamente ao médico quando pode dispor de uma folga, etc.

É essa relação com a saúde, a doença, o sofrimento de seus familiares que é totalmente incomum nessa categoria de trabalhadores. Mentalmente, de fato, para prodigar tal atenção à saúde de seus filhos, é preciso estar em condições de poder identificar-se com eles, com o sofrimento, as necessidades deles, etc. Identificar-se quer dizer ser capaz de se pôr no lugar deles. Porém, pôr-se no lugar deles não é muito compatível com a estratégia coletiva de defesa, que visa justamente a afastar toda e qualquer evocação da doença e do sofrimento do corpo.

Para o senhor A., a chegada da esposa e dos filhos faz destoar brutalmente o que implicam as defesas contra o sofrimento no trabalho das escolhas existenciais do paciente em seu espaço privado e na vida doméstica. Ora, o investimento afetivo parece estar mais forte. Outros talvez tivessem encontrado uma saída gerando uma situação de conflito na família e evitando o domicílio, voltando para casa apenas para comer e dormir, até mesmo fugindo de casa ou divorciando-se. Mas o senhor A. preza a vida familiar, e é do lado do trabalho que sua situação se desestabiliza. De repente, sente-se sem força, sem coragem, não consegue mais fazer esforços, diz. Justamente ele que, até então, era um trabalhador apreciado começa a ser repreendido. Não suporta mais essa situação. Não é mais apreciado pelos chefes. Desencadeia-se então uma dispneia asmatiforme.

Quando encontro o senhor A., ele está hospitalizado numa unidade de tratamento intensivo, com uma crise asmática.

Faço uma pausa para assinalar um ponto que me parece importante: as estratégias defensivas necessárias para resistir aos constrangimentos patogênicos da organização do trabalho não funcionam apenas no local de trabalho. O corte teórico entre espaço de trabalho e espaço extratrabalho é totalmente artificial. Ao deixar o canteiro de obras, o sujeito continua sendo quem é, não pode mudar de pele nem de economia psíquica, de modo que o sofrimento no trabalho, convocando estratégias defensivas peculiares, corrompe toda a organização mental do sujeito e estende seus tentáculos até as relações com os filhos e o cônjuge. A economia do amor e a economia erótica são, de certa maneira, colonizadas pelas relações de trabalho. Se o espaço privado resistir, se não estiver em concordância com as exigências defensivas do trabalho, deve-se esperar uma descompensação. Desse exemplo, então, podemos reter que existe *uma solidariedade psíquica fundamental entre vida de trabalho e vida extratrabalho*, ou *uma unidade econômica entre as duas modalidades da existência.*

Esse problema não é exclusivo dos trabalhadores imigrantes que cumprem tarefas desqualificadas no setor da construção civil e obras públicas. Observei exatamente a mesma coisa entre os *pilotos de caça*. Enquanto são jovens e solteiros, geralmente resistem bem aos riscos da profissão. Mas o casamento e, sobretudo, o nascimento dos filhos constituem uma das causas mais frequentes do que se denomina, nas forças armadas, "desadaptação à profissão de piloto de caça". É preciso então remanejá-los como instrutores nas escolas de voo, como pilotos de helicóptero ou como pilotos no transporte aéreo militar, e mesmo dispensá-los, isto é, tirá-los das situações de risco, que eles antes suportavam bem ou até prezavam tanto. Encontramos exatamente as mesmas questões entre executivos e dirigentes.

O problema é o mesmo com o senhor A. Sendo possível remanejá-lo para um trabalho sem os riscos habituais do setor da construção civil e de obras públicas, talvez ele melhore e fique curado. É pelo menos o que sugere a evolução do senhor A., que, desde então, conseguiu mudar de emprego, tornou-se servente num pequeno comércio e não tem mais asma.

Outro ponto que eu gostaria de destacar é o fato de que, precisamente, boa parte das consequências do sofrimento mental no trabalho não se manifesta sempre no local de trabalho. Esforçando-se para manter seu posto, certos trabalhadores destroem sua vida familiar, e, não raramente, são as crianças que acabam sofrendo de transtornos mentais, cuja relação com o sofrimento dos pais pode ser facilmente elucidada. Porém, isso é raramente identificado na prática psiquiátrica comum, por falta de conhecimentos, pela maior parte de nossos colegas psiquiatras, em matéria de psicodinâmica do trabalho.

Por fim, eu gostaria de falar da questão da forma sintomática da descompensação do senhor A. Por que uma asma? Outros sujeitos, em circunstâncias psicológicas semelhantes, não desencadeiam asma, mas sofrem um acidente de trabalho, seguido por um transtorno de estresse pós-traumático, enquanto outros, ainda, desenvolvem uma depressão ou têm um surto delirante (Annie Bensaïd, 1991 – ver Capítulo II).

Isso significa somente que a forma semiológica da descompensação não depende dos constrangimentos de trabalho que se encontram na origem dessa crise. A forma semiológica depende da organização mental do sujeito, de seu passado, de sua infância, de suas relações com os pais, etc., até mesmo de sua genética, dirão alguns psiquiatras. É importante, pois, assinalar que, enquanto se está aquém da descompensação, o trabalho imprime marcas muito específicas na organização defensiva do sujeito. Mas uma vez que a descompensação se manifesta, se for tomada isoladamente de seu contexto, é impossível encontrar nela, com clareza, os traços da organização do trabalho que deu origem à crise.

No caso do senhor A., a descompensação assumiu a forma de uma somatização maior, com risco mortal. As razões dessa vulnerabilidade à somatização não serão discutidas aqui, pois nos levariam muito adiante no terreno da psicossomática. Porém, foi justamente com uma intervenção no seu trabalho que o problema psicossomático do senhor A. pôde ser resolvido. E isso, já desde a fase em que estava em terapia intensiva! De fato, foi porque as técnicas convencionais de cuidados intensivos não tinham êxito havia vários dias que se recorreu ao psiquiatra. Já durante a primeira investigação, apesar das condições difíceis habitualmente encontradas no trabalho de "interconsulta em psiquiatria", o estado somático do paciente melhorou: baixa da frequência cardíaca, melhor ventilação, etc., dando à intervenção psiquiátrica uma aparência de "milagre". Na verdade, parece que a sedação da angústia e a melhora das variáveis biológicas são contemporâneas da dinâmica intersubjetiva mobilizada pela elaboração da vivência do sofrimento no trabalho.

CONCLUSÃO

Após essa breve incursão pela clínica de uma descompensação banal, deparamo-nos com dois tipos de "causalidade" ou de "caminhos causais" (Anne Fagot-Largeault, 1986) bem distintos e contraditórios. A descompensação pode, de fato, ser descrita de duas maneiras.

- Ou se parte da análise dos processos mobilizados em prol da luta *pela saúde* (e de seu fracasso com a chegada da família), e se pode, então, dar uma interpretação da descompensação em relação à desestabilização da economia da saúde. Mas essa análise vai apenas até a descompensação. Para além dela, a forma semiológica da doença depende de determinações que fogem à sua área de competência.
- Ou então, ao contrário, podem-se descrever os processos *bio* e *psicopatológicos* consecutivos à descompensação a partir dos dados médico-biológicos e/ou das características psicossomáticas e infantis do paciente. Não se pode, porém, neste caso, compreender por que

a descompensação intervém somente agora, nem por que o terreno psicossomático, frágil e vulnerável a todo tipo de traumatismos, *resistiu* até então a todas as fontes de traumatismos encontradas até a idade de trinta e oito ou quarenta anos (processos envolvidos na saúde).

Assim, a descompensação psicossomática pode ser conhecida por duas "descrições" (no sentido que Elizabeth Anscombe dá a esse conceito) muito contrastadas. Mas será que se trata apenas de um conflito de descrição, ou mesmo de um conflito de interpretação (Paul Ricoeur, 1969)? Parece que o conflito de interpretação cobre, aqui, uma *dualidade de substâncias*, ou seja, enquanto a primeira descrição referir-se-ia aos processos envolvidos na construção da saúde, a segunda diria respeito aos processos implicados na doença. Encontra-se aqui uma contradição maior, mas difícil de compreender e admitir intelectualmente: saúde e doença não constituiriam um único e mesmo processo, nem mesmo seriam processos em continuidade, mas duas séries qualitativa e objetivamente diferentes, não se sobrepondo. Médicos e psiquiatras conhecem e descrevem a doença e a luta contra a doença. Sociólogos e antropólogos têm um conhecimento dos processos envolvidos na construção da saúde e no fracasso dessa construção.

Assim, a descompensação (tanto quanto a normalidade, de resto) pode dar origem a duas descrições que não se sobrepõem. Existiria, portanto, um *dualismo* substancial saúde/doença, e não um *continuum* entre os dois tipos de processo; dualismo que seria reiterado pelo dualismo científico entre ciências médico-biológicas e ciências sociais a respeito das questões da saúde.

De forma ideal, para poder dar conta exaustivamente de um estado psicossomático (normal ou patológico), duas descrições seriam necessárias: uma relativa ao estado dos processos mórbidos e a outra relativa ao estado dos processos da saúde.

Do ponto de vista terapêutico, é evidente que a análise dos dois tipos de processo (doença e saúde) sugere, respectivamente, medidas práticas bem diferentes. Em geral, contudo, a abordagem por um dos dois acessos apenas pode ser suficiente para restabelecer um estado psicossomático satisfatório, mas nem sempre, como mostra o exemplo do senhor A., cujo estado psicossomático resistia às medidas práticas tomadas contra a doença, mas era receptivo às medidas práticas dirigidas à saúde.

Assim, talvez possamos concluir que as contradições etiológicas permanecem enquanto acreditarmos que as duas interpretações concorrentes se excluem. A contradição, ao contrário, atenua-se se compreendermos o dualismo essencial saúde/doença (que, aliás, abarca boa parte do dualismo da última teoria das pulsões de Freud, 1920), sugerindo que as duas interpretações podem estar corretas, simultaneamente.

A psicodinâmica do trabalho tem a particularidade de dar acesso ao conhecimento de certos processos implicados na saúde e na normalidade. O ideal, porém, para o profissional, seria dominar os conhecimentos nos dois campos, no da saúde (psicodinâmica do trabalho) e no da doença (psicopatologia geral), porque, assim, seriam consideravelmente maiores as vias terapêuticas que se apresentam a ele.

REFERÊNCIAS

BÉGOIN, J. *La névrose des téléphonistes et des mécanographes*, thèse, Faculté de médecine, Paris, 1957.

BENSAÏD, A. "Apport de la psycopathologie du travail à l'étude d'une bouffée délirante aiguë. Communication Journées nationales de médecine du travail. Rouen", *Archives des maladies profissionnelles*, Paris, Masson, 1990, p. 307-310.

CHERNISS, C. *Staff Burnout: Job Stress with Human Services*, Beverley Hills (CA), Stage Publications Inc., 1980.

CRU, D. *et al.* "Les savoir-faire de prudence dans les métiers du bâtiment. Nouvelles contributions de la psycopathologie du travail à l'étude de la prévention", *Cahiers médico-sociaux*, Genève, 1983, 27, 239-247.

DE BANDT, J.; DUBAR, C.; DEJOURS, C.; GADEA, Ch.; TEIGER, C. *La France malade du travail*, Paris, Bayard, 1995.

DEJOURS, C. *Travail, usure mentale. Essai de psycopathologie du travail*, Paris, Le Centurion, 1 vol., 1980, 150 p. (4e éd. augm., Paris, Bayard, 2005, 300 p.).

DODIER, N. *Les hommes et les machines*, Paris, Métailié, 1995.

FAGOT-LARGEAULT, A. Approche médicale de la causalité dans les systèmes complexes, *Archives internationales de physiologie et biochimie*, 1986, 94, 85-94.

FERNANDEZ-ZOÏLA, A. *Rupture de vie et névroses: la maladie langage post-traumatique*, Toulouse, Privat, 1979.

FERNANDEZ-ZOÏLA, A. "Pour une théorie de l'homme en psychopathologie du travail", *in* Dejours, C. (dir.). *Plaisir et souffrance dans le travail*, Paris, AOCIP-CNRS, t. I, 1988, p. 53-75.

FERNANDEZ-ZOÏLA, A. "Ignace Meyerson et la psychologie", *in* Clot, Y. (dir.). *Histoire de la psychologie du travail*, Toulouse, Octarès, 1996.

LE GUILLANT, L. "Incidences psycopathologiques de la condition de 'bonne à tout faire'", *L'Évolution psychiatrique*, 1963, 28, 1-64.

LE GUILLANT, L. Œuvres réunies in *Quelle psychiatrie pour notre temps?*, Toulouse, Érès, 1985.

MEYERSON, I. *Les fonctions psychologiques et les œuvres*, Paris, Vrin, 1948 (rééd., Paris, Albin Michel, 1995).

RICŒUR, P. *Le conflit des interprétations (essai d'herméneutique)*, Paris, Seuil, 1969, p. 101-209.

SCHÜTZ, A. *Le chercheur et le quotidien (phénoménologie des sciences sociales)*, Paris, Méridiens-Klincksieck, 1987.

SIVADON, P.; FERNANDEZ ZOÏLA, A. *Temps de travail et temps de vivre*, Bruxelles, Pierre Mardaga, 1983.

VEIL, C. *La fatigue industrielle et l'organisation du travail*, thèse de doctorat, Faculté de médecine de Paris, 1952.

VEIL, C. *Hygiène mentale du travailleur*, Paris, Le François, 1964.

CAPÍTULO II

APORTE DA PSICOPATOLOGIA DO TRABALHO AO ESTUDO DE UM SURTO DELIRANTE AGUDO

ANNIE BENSAÏD

ANNIE BENSAÏD é psiquiatra e psicanalista.

Este estudo é dedicado a um caso clínico analisado à luz da psicopatologia do trabalho. Essa disciplina, de acordo com nossa hipótese, pode auxiliar na compreensão, até mesmo no tratamento de certas descompensações psiquiátricas.

A história do senhor S., operário da construção civil, evidencia dois tipos de constrangimentos distintos. De um lado, os constrangimentos gerados pelas relações sociais e pela organização do trabalho. A adaptação psíquica a tais constrangimentos põe em jogo uma ideologia defensiva da profissão que remete ao coletivo de trabalho. De outro lado, os constrangimentos gerados pelas relações intersubjetivas dentro da família, que implicam defesas que remetem à ordem individual.

Entre esses dois tipos de estratégias defensivas surgem, às vezes, contradições insolúveis que poderiam desempenhar um papel determinante nos rompimentos do equilíbrio psíquico. Tentarei mostrar como a análise dessas defesas teve reflexo na orientação terapêutica, por uma via que não poderia ter sido pensada sem referência à psicopatologia do trabalho.

O senhor S. é um homem de quarenta anos que atendo no serviço de emergência, a pedido de um clínico geral, por apresentar uma sintomatologia delirante de tipo persecutória, com mecanismos interpretativos e alucinatórios que evoluíram nos últimos três meses. Ele mesmo havia consultado espontaneamente quinze dias antes, tendo o sentimento de "enlouquecer". Até então, o senhor S. nunca havia recorrido aos médicos, muito menos aos psiquiatras.

Apresenta-se de saída como um homem simpático e caloroso, e relata suas dificuldades sem nenhuma reticência, enquanto justamente a perseguição está no centro de sua problemática atual. Estabelece um contato fácil, apesar de uma grande angústia que se manifesta por uma logorreia e um tremor nas extremidades. A impregnação alcoólica é certa – recente, diz ele. De fato, não apresenta um *habitus* de intoxicação crônica (o *check-up* efetuado algum tempo mais tarde confirmará isso).

Sua solicitação é clara: além de desejar tranquilizar-se quanto ao risco de enlouquecer, ele quer viver "calmamente com sua família".

De origem marroquina, sozinho na França há dezessete anos, o senhor S. trabalha como pintor no setor da construção civil. Sua história psicopatológica se inicia um ano depois da chegada de sua mulher e de suas filhas à França. Faz alguns meses que o senhor S. se irrita com facilidade, está nervoso, tanto no local de trabalho como em casa, violento com a esposa, em quem bate. Lamenta essa conduta, chora e consome álcool com uma finalidade ansiolítica.

Desenvolvem-se, ao mesmo tempo, ideias de referência: tem a sensação de ser seguido, observado na rua, no trem que o leva ao trabalho, onde tem certeza de que estão falando dele. Pensa que seus vizinhos e seu zelador o vigiam. Nessa época, é convocado pelo serviço de assistência social, após uma denúncia feita pelo porteiro, em decorrência dos atos de violência praticados contra a família. Conclui-se então que o senhor S. apresenta um alcoolismo, num contexto de dificuldades *clássicas* de adaptação dos imigrantes magrebinos, principalmente com uma periculosidade para seus filhos. Uma medida da AEMO (Assistência Educativa em Meio Aberto)[1] será prevista para protegê-los, medida frequente na prática psiquiátrica comum (notemos que, no âmbito dessa interpretação das condutas patológicas do senhor S., é estranho que o atendimento proposto de imediato por uma médica não tenha causado nenhuma dificuldade particular).

A origem dos transtornos, portanto, é relacionada à sua condição de imigrante, até mesmo a uma estrutura preexistente (personalidade paranoica), sem referência às questões de trabalho, principalmente à organização do trabalho. O senhor S. aceita com dificuldade essa incompreensão, uma

1 N.T.: Na França, a Ação Educativa em Meio Aberto é uma medida de proteção à criança que vive em seu meio familiar. Esta medida é aplicada por solicitação de uma autoridade administrativa ou por uma autoridade judiciária (juiz da infância). Ver o site: http://www.cnaemo.com/aemo.html.

vez que ele sabe que mudou (não teve nenhum problema de adaptação durante dezessete anos), a ponto de não se reconhecer mais. Está ansioso no trabalho, fechado, briga pela primeira vez no canteiro de obras.

Três meses antes da primeira consulta, sofreu um acidente de trabalho: caiu de um andaime. Agarrou-se a uma sacada três andares abaixo... sem dano corporal. Não solicita nenhum afastamento do trabalho para evitar agravar suas dificuldades financeiras, mas, nas semanas seguintes, apresentará transtornos do sono, pesadelos com revivência noturna desse trauma, um recrudescimento da angústia, da irritabilidade e das ideias de referência.

É nesse contexto que se desenvolvem alucinações acústico-verbais: ele ouve vozes, unicamente masculinas, que o insultam, o tratam de covarde, ofendem sua mulher, chamando-a de "vadia", "puta", e o "desafiam a divorciar-se".

É totalmente invadido por alucinações, primeiramente dentro do trem, obrigando-o muitas vezes a descer antes da sua estação, depois, no local de trabalho, onde interrompe sua tarefa para verificar *quem está falando*, e, por fim, em casa.

Sentindo-se ameaçado, tranca-se em casa, não dorme mais, prende a mulher e os filhos numa peça e defende seu espaço privado dando muitas facadas na porta de entrada, localizando as injúrias e os insultos no corredor do andar. Foram esses transtornos de comportamento e seu temor em relação à sua própria violência que o levaram a consultar.

Ele recusa, num primeiro momento, a hospitalização, porque sua mulher não foi avisada e sua família depende dele (dificuldades linguísticas, aulas de alfabetização). Conta-me que as trouxe para a França há um ano. Fala da esposa e das três filhas (quatorze anos, onze anos e um bebê de quatro meses) com muito calor e emoção, de suas dificuldades de lhes dar uma vida correta, de sua angústia em relação à filha mais nova (não conheceu as duas mais velhas quando eram bebês). Propõe-me organizar-se (fazer as compras da semana, confiar a família à vizinha) e voltar no dia seguinte para internar-se. Volta como prometido, e é importante ressaltar que o senhor S. sempre cumpriu com a palavra.

No plano biográfico, ele é filho único. Seu pai trabalhava como pedreiro, mas *sabia fazer de tudo*, principalmente pintura. Depois de ter fracassado na obtenção do Certificat d'Études (diploma que, até 1989, sancionava o fim do ensino primário elementar na França), o senhor S. é colocado pelo pai como aprendiz de marceneiro, ofício que pratica durante três anos. O senhor S. diz ter tido inveja do pai, que realizava seguidamente trabalhos de pintura, e ter se sentido atraído pelas *cores*. Foi por ocasião de uma obra na Córsega, cujo responsável era um amigo da família, que o senhor S. decidiu permanecer na França. Instala-se então na região parisiense aos vinte e dois anos e começa a trabalhar como pintor na construção civil.

Desde então, trabalha na mesma empresa, aprendeu seu ofício na prática, com pintores profissionais. Vai ao Marrocos todos os anos nas férias e casa-se em 1974. Sua esposa mora na mesma rua que seus pais. "Ela conquistou meu coração", diz ele, ressaltando o fato de que não é um casamento arranjado.

Teve sucessivamente duas filhas (a terceira nasceu na França). Enviava todos os meses cento e cinquenta euros à esposa e decidiu trazê-la para a França quando conseguisse um apartamento adequado.

Ele morava numa pensão, a mesma desde sua chegada à França, paga em parte pelo empregador. Com um salário de pouco menos de mil euros, ele diz que vivia bem. Em 1982, encontrou um apartamento, cujo aluguel ele pagou durante seis anos *para nada*, preferindo morar na pensão, pelos amigos, enquanto sua família regularizava a situação para poder juntar-se a ele na França.

Muito rápido, então, o senhor S. fala de suas dificuldades para sustentar a família, de suas dificuldades no trabalho em particular, de sua angústia desde a chegada da família. É no decorrer das entrevistas que ele estabelece ligação entre seu discurso delirante, em que *alguém o intima a divorciar-se*, em que *alguém se interpõe entre ele e sua esposa*, e suas dificuldades na situação concreta de trabalho, tomando progressivamente para si esse *alguém* estranho que o persegue. Dificuldades que eu poderia resumir pelo sofrimento proveniente da contradição entre: de um lado, constrangimentos psíquicos ligados à organização do trabalho que requerem uma cooperação defensiva viril, um reconhecimento pelo coletivo, inclusive fora da situação de trabalho; de outro lado, constrangimentos psíquicos oriundos de sua vida familiar: retomada do desejo individual em relação à sua mulher e às filhas, causando-lhe dificuldade com a ideologia defensiva da virilidade entre homens que, até então, lhe permitira enfrentar os constrangimentos psíquicos de seu trabalho.

O senhor S. falou demoradamente de seu trabalho: "*Gosto e não gosto dessa profissão*", insistindo principalmente na diferença entre obra interna e obra externa no canteiro. A respeito das obras externas:

"É perigoso, dá vertigem, é frio, escorrega, mas o que dá coragem são os outros. Porque somos quatro ou cinco caras. Sempre tem um que desce primeiro. Se um estiver com muito medo, a gente grita para que ele desça. Não dá para trabalhar sozinho".

Ele descia primeiro, zombava, muitas vezes comandava. Era admirado pelas equipes, sendo-lhe seguidamente confiado o posto de mestre de obras, se fosse uma obra pequena ou se o chefe estivesse ausente (Damien Cru *et al.*, 1983). Pagava as rodadas. "A gente se encontra no bar", dizia. Eram essas condições de trabalho, especialmente a relação com o risco, que estruturavam sua vida (espaço, tempo) fora do trabalho. Assim, ao longo das entrevistas, ele me expunha:

- O medo que se manifestava nas obras de reabilitação de fachadas, o confronto permanente com o risco de atentado à integridade corporal, até mesmo com o risco de morte.

- A ansiedade que dá origem a comportamentos de desafio, graças aos quais se pode pensar que o risco é controlado.
- O funcionamento de *estratégias coletivas de defesa,* a importância de uma confiança mútua e de uma coesão do coletivo para poder trabalhar (Dejours, 1980).

Porém, a situação de trabalho do senhor S. vai mudar aos poucos: primeiro, na própria organização do trabalho, provocando um rompimento nas relações de confiança e na cooperação entre os operários. Nos últimos dois anos, foi o "filho do patrão" que assumiu a direção da empresa familiar. O patrão fora, ele mesmo, operário da construção civil e, portanto, conhecia o trabalho (tarefa concreta), seus empregados, a prática e a qualificação deles. "O filho, ao contrário, não entende nada, estudou administração", diz o senhor S. Não faz nenhuma distinção entre os operários, solicita aumento do ritmo de trabalho, coloca as pessoas independentemente da qualificação delas (obra interna, obra externa).

"Agora é ele o patrão. Antes, a gente se entendia diretamente com o mestre de obras. Quando o jovem chegou, alguns operários tinham boas relações com ele. Foram designados para ocupar cargos de responsabilidade. Não é mais a mesma coisa. Tem uma linha direta, quer dizer, dedo-duro".

"As pessoas são ameaçadas, convocadas ao escritório: então, tem 'gente que fala'". É a primeira brecha nesse coletivo de trabalho e no funcionamento da estratégia defensiva. O senhor S. insiste no desaparecimento do convívio diário, e a coesão se forma, então, contra os "dedos-duros" não identificados.

O senhor S. viu-se cada vez mais sozinho para enfrentar o risco no trabalho. A chegada da família, à mesma época, e o nascimento da terceira filha exacerbaram as dificuldades psicológicas.

Após alguns meses de transição em que continuou encontrando-se com os "amigos", ele comprou um relógio para chegar em casa "na hora certa". Sua família e seu desejo pessoal estruturavam cada vez mais sua vida fora do trabalho, e não mais o coletivo, já abalado por uma organização do trabalho diferente. Já não compartilhava mais a vida com outros operários. *Zombavam* dele amavelmente: "É de casa para o trabalho, do trabalho para casa".

Não consegue mais comandar. Encontra-se desestabilizado porque não é mais sustentado pela ideologia defensiva da profissão. Agora, tem de enfrentar sozinho o perigo (medo da morte, angústia diante das responsabilidades em relação à família).

Nesse clima de isolamento progressivo, ocorreu um acidente de trabalho que poderia ter sido mortal, depois uma crise psíquica em que, diante de uma situação impossível de administrar, as *alucinações* o aconselhavam a divorciar-se, o que lhe permitiria reintegrar o coletivo de trabalho.

Para tentar enfrentar isso, ele bebe, mas sozinho desta vez.

A outra solução, que se aclara progressivamente nas entrevistas, é um trabalho de menor risco, mesmo que isso ocasione remanejamentos em seu domínio social e sua identidade.

"Dentro, faz muito calor, mas pelo menos é limpo. A gente não se suja. Não fica todo manchado como na recuperação de fachadas. Lá fora é muito perigoso".

Essa história, então, adquiriu sentido (foi elaborada, diríamos em termos mais técnicos) a partir da interpretação das contradições entre os constrangimentos do trabalho e os investimentos afetivos de sua vida privada, *na situação atual*. Esse trabalho de interpretação é consideravelmente diferente daquele que se costuma realizar na psiquiatria quando não se leva em conta o contexto das relações sociais de trabalho atuais e só se faz referência à diacronia e à história psiconeurótica do paciente a partir de seu passado infantil (Ludwig Binswanger, 1958). De fato, na prática, o declínio dos transtornos psicóticos foi obtido sem tratamento com neurolépticos. A estabilização mental foi alcançada agindo unicamente sobre a situação de trabalho, justamente graças a uma mudança de posto de trabalho, cujas características foram expressadas pelo próprio senhor S. (obras internas) durante um trabalho psicoterápico que talvez não levasse a esse resultado sem referência à psicopatologia do trabalho.

REFERÊNCIAS

BINSWANGER, L. *Le cas Suzanne Urban.* Étude sur *la schizophrénie*, Paris, Desclée de Brouwer, 1958.

CRU, D. *et al.* "Les savoir-faire de prudence dans les métiers du bâtiment. Nouvelle contribution de la psycopathologie du travail à l'analyse des accidents et la prévention dans le bâtiment", *Les Cahiers médico-sociaux*, Genève, 1983, 27, 239-247.

DEJOURS, C. *Travail, usure mentale. Essai de psycopathologie du travail*, Paris, Le Centurion, 1980 (4e éd., Paris, Bayard, 2005).

CAPÍTULO III

"DOUTOR, ALZHEIMER, NA MINHA IDADE, ISSO EXISTE?" UMA ENIGMÁTICA ALTERAÇÃO DAS FUNÇÕES COGNITIVAS EM UMA PACIENTE DE QUARENTA ANOS

MARIE-PIERRE GUIHO-BAILLY
PATRICK LAFOND

MARIE-PIERRE GUIHO-BAILLY é psiquiatra clínica, vinculada ao Centre Hospitalier Universitaire (CHU) de Angers, Laboratoire d'Ergonomie et d'Épidémiologie en Santé au Travail (LEEST), Universidade de Angers, França.

PATRICK LAFOND é um antigo enfermeiro psiquiátrico, terapeuta em relaxamento.

Dirigir a atenção para a vida profissional dos pacientes, para o lugar que o trabalho ocupa na vida deles, em seu funcionamento mental, nas alterações de sua saúde ou em seus movimentos de reestruturação, não é algo natural para os psiquiatras em sua prática clínica cotidiana.

No âmbito dos tratamentos psiquiátricos, o trabalho do paciente é evocado, na maioria das vezes, pelo vértice da ergoterapia, da "capacidade" de trabalho, da recolocação profissional: projetos de atividades terapêuticas ou de reabilitação psicossocial, decisões a serem tomadas em termos de licença de saúde ou invalidez, acompanhamento social num processo de reconhecimento da *condição* de trabalhador deficiente ou na busca de um *emprego* em meio "normal" ou "protegido", quando o estado psíquico é considerado suficientemente estabilizado para que possa ser exercida uma atividade profissional.

São as características da patologia psiquiátrica, dos transtornos da personalidade, das modalidades evolutivas da doença que orientam a reflexão dos clínicos, na parte final do projeto de tratamento, sobre a relação com o emprego, pensado principalmente em termos de autonomia e de inserção social.

A ausência de problemas relativos ao emprego em um paciente que consulta por causa de uma descompensação psíquica transitória e cujo estado de saúde não parece requerer uma licença pode até mesmo eliminar totalmente qualquer interrogação sobre o trabalho.

Encontramos com muita frequência fichas médicas em que as especificidades concretas da profissão exercida, o percurso profissional, as singularidades da relação subjetiva com o trabalho e de sua evolução não aparecem em lugar algum, exceto na menção à profissão exercida no momento atual, indicada por uma única palavra no formulário administrativo, e quando esse item é informado...

Em geral – exceto em situações específicas em que a atribuição de um sofrimento psíquico à situação de trabalho é, de saída, apontada pelo interessado –, o próprio paciente participa desse processo de ocultação, considerando que sua vida profissional "não interessa" ao clínico, a não ser para avaliar o impacto temporário de seu estado de saúde sobre sua aptidão profissional.

Na maioria das vezes, as questões do paciente que consulta em psiquiatria coincidem, na verdade, com aquelas do profissional que o atende: determinar a semiologia dos transtornos, fazer um diagnóstico, formular hipóteses etiológicas eliminando primeiramente um problema somático de expressão psiquiátrica, depois investigando elementos da história pessoal, familiar, bem como as modalidades estruturais do funcionamento mental que permitiriam elucidar a clínica e orientar as propostas terapêuticas.

ANTECEDENTES

Foi nessa perspectiva clássica de clínica psiquiátrica que atendemos em consulta Jeannine, de quarenta anos, casada, dois filhos, e que já conhecíamos por tê-la acompanhado durante algum tempo, três anos antes, após uma tentativa de suicídio[1].

Nesse primeiro período de atendimento, Jeannine falara de seu gesto suicida (a absorção de uma dose maciça de medicamentos) como uma interrogação sobre o sentido da vida: lançar um alerta ou desaparecer?... A intencionalidade permanece mal determinada, mas Jeannine sabe que não pode mais continuar vivendo sem se perguntar sobre o sentido de sua existência, de suas prioridades, de sua "utilidade", de sua feminilidade.

1 Uma primeira apresentação deste caso clínico foi feita em 6 de dezembro de 1996, numa comunicação conjunta com Ghislaine Doniol-Shaw, ergonomista do LATTS-CNRS, durante os Encontros Europeus, evento organizado pelo grupo de pesquisas MAGE (Mercado de Trabalho e Gênero), sobre o tema "Saúde e trabalho. Empregos de serviço" (G. Doniol-Shaw, M.-P. Guiho-Bailly, "Emploi, conditions de travail et santé des employées dans les services", *Les Cahiers du* MAGE, 4/96, 15-33).

Aparece muito a questão do destino das mulheres em sua família, de sua filha mais velha, que acaba de sair de casa para fazer sua vida, de sua mãe, que está envelhecendo, da maneira pela qual ela mesma investiu até aqui no seu papel de filha, de mãe, de esposa, de dona de casa, orgulhosa de seus "dons", como diz, que fazem dela uma excelente cozinheira, uma costureira habilidosa, uma decoradora admirada pela apresentação do interior de sua casa, pela beleza de seu jardim, por sua criatividade, sempre realizando trabalhos criativos e inovando...

Não há nenhuma autodesvalorização em suas palavras, nenhum acometimento da autoestima, nenhuma dúvida sobre suas competências nem sobre o amor de seus familiares, mas um temor ansioso e uma visão pejorativa do futuro, do retorno da vida em família à vida de casal, do envelhecimento, da doença, da morte.

Seus filhos estão criados e começam a ir embora, tudo está "acabado" em casa, seu marido não vê onde está o problema... Como enfrentar o tempo que resta para viver? Qual sentido vai tomar sua vida dali em diante? Por que e para quem "continuar"?

Jeannine tinha, já há algum tempo, o projeto de procurar "algum" trabalho, sem encontrar nada que lhe conviesse, num mercado de trabalho tenso. Além disso, seu questionamento existencial e a tentação suicida de um momento trazem reminiscências da história de sua infância, da história familiar, suscitando uma interrogação sobre sua vida afetiva e sexual, e Jeannine inicia uma psicoterapia.

As capacidades de mentalização e de verbalização são de boa qualidade, as associações de ideias, frutuosas, com uma riqueza do funcionamento pré-consciente, dos sonhos, das relações esclarecedoras entre história pessoal e vivência subjetiva atual.

Pouco a pouco, o projeto de uma atividade profissional afirma-se e define-se: em coerência com as "qualidades femininas" socialmente valorizadas que fundaram sua identidade baseada nas tarefas domésticas e familiares, Jeannine procura, cada vez mais determinada, um emprego no "ramo de tecidos": vestuário, decoração, costura, vendas... E encontra um emprego no comércio, numa loja de departamentos recentemente implantada e especializada em vestuário e tecidos de decoração.

Ramo escolhido, tempo integral desejado, contrato de duração indeterminada desde o início, distância mínima entre o domicílio e o local de trabalho... Tudo acontece da melhor maneira no projeto profissional de Jeannine, que, além disso, tendo resgatado um equilíbrio psicoafetivo, põe fim a uma psicoterapia da qual ela não sente mais necessidade.

DESCOMPENSAÇÃO

Um ano mais tarde, Jeannine marca uma nova consulta. Ela aparece desfigurada, emagrecida, extenuada, quase confusa. Diz estar esgotada, irritável, sofrendo de insônia, lenta no plano ideomotor. Mas o que a preocupa em primeiro lugar é o surgimento e o agravamento progressivo, nos últimos meses, de transtornos cognitivos e psicomotores.

Jeannine diz logo que não reconhece em seu estado atual os sintomas de sua primeira descompensação, que agora se trata de um estado totalmente diferente... "Doutor, Alzheimer, na minha idade, isso existe?".

Jeannine perde a memória: não sabe mais onde põe suas coisas, não termina o que começa e esquece o que está fazendo. Passando de uma atividade à outra, sem mesmo se dar conta, ela encontra aqui e ali, em casa, os rastros de tarefas iniciadas e inacabadas, sem que possa lembrar-se do momento e do motivo da interrupção.

Apresenta *deficits* consideráveis de atenção e de concentração. Não retém mais o que lhe dizem, não consegue mais acompanhar uma conversa, "sempre atrasada para responder a uma pergunta", e padece para reunir suas ideias para formular uma resposta pertinente. Faltam-lhe as palavras, como os pensamentos. Uma ideia encobre a outra e desaparece por sua vez. Não consegue mais acompanhar um programa de televisão ou um filme: perde o fio da trama, sua atenção é desviada a todo instante, sem motivo real. Também não consegue mais ler, chegando a esquecer o conteúdo da página anterior, apesar de seu interesse pela obra.

De seu ponto de vista, porém, o pior é "não saber fazer mais nada com suas mãos". Tão orgulhosa de suas capacidades manuais, criativas, ela está perdendo suas habilidades e cada vez mais sua destreza. Tudo lhe escapa; quebra um objeto após o outro; erra todas as suas receitas, até mesmo as mais simples e as mais comuns; não sabe mais como realizar coisas que já foram feitas mil vezes, como se todo esse saber acumulado, que se tornou automatismo no dia a dia, fonte de prazer e orgulho, tivesse sido desconstruído.

O que Jeannine ainda consegue fazer lhe toma agora um tempo infindável e nunca a satisfaz, tendo um gosto de inacabamento e imperfeição que não torna mais o resultado "apresentável". Como se ela perdesse todas as suas faculdades. Como se estivesse demente.

Todos esses sintomas a aterrorizam. Ela não ousa mais tocar em nada, refugia-se na cama quando pode, teme as ocasiões de reuniões familiares e sociais e começa a temer por seu emprego, pois "no trabalho também", diz, seus transtornos começam a lhe aplicar peças, desde esquecimentos até falta de jeito.

Diante dessa perda de competências e habilidades vivenciada em sua inteligência e em seu corpo, Jeannine sente-se "mais velha que louca", mais "doente" que deprimida ou ansiosa. Com um temor maior: estar sofrendo de uma patologia cerebral, de uma "senilidade precoce".

Com esse quadro clínico, faz-se de fato necessário uma bateria de exames de saúde para descartar qualquer acometimento cerebral orgânico: metabólico, infeccioso, neurovascular, tumoral, neurodegenerativo... Todos os resultados das investigações são negativos. Os exames estão estritamente normais.

Então... é psíquico?

Numa perspectiva de abordagem psicodinâmica, voltamos aos acontecimentos recentes de sua vida (perdas, partidas, mudanças), à vida afetiva, à relação subjetiva com o envelhecimento, a doença, a morte, já abordada dois anos atrás.

Ao contrário do período anterior de atendimento, nada faz sentido, e os sintomas persistem.

Sem obtermos sucesso nesse procedimento de psicoterapia verbal, constatando, além disso, a ineficiência de um tratamento antidepressivo de "teste" e, para dizer a verdade, perplexos diante desse sofrimento psíquico e desse quadro clínico, propomos a Jeannine uma abordagem diferente, associando, de um lado, entrevistas com o psiquiatra concentradas, por ora, no atual, no real; de outro lado, uma abordagem psicocorporal pela técnica de relaxamento, conduzida por outro terapeuta, enfermeiro especializado nessa técnica de tratamento, que visa a melhor compreender as relações entre as vivências psíquica e corporal e a ajudar Jeannine a se reapropriar desse corpo que ela não domina mais e que, em suas palavras, a faz temer que ele a "abandone" a qualquer momento de maneira espetacular, principalmente no seu local de trabalho.

No trabalho de relaxamento, Jeannine demonstra transtornos que a afetam. O terapeuta registra em suas anotações as observações seguintes: "*A senhora B. insiste na sensação de precipitação, de temor de não conseguir controlar o tempo; de não conseguir terminar e, na verdade, de realizar muito rápido ou rápido demais, sensação sentida tanto na vida profissional quanto na vida familiar*".

A relação com o tempo, os ritmos, as etapas, os prazos será central na terapia de relaxamento de Jeannine: "*Ela ouve um pouco a indução e sua mente pensa em outra coisa. Distraída, ela não ouve a sequência da indução e teme ter pulado etapas*".

“*Percebe que esse é o seu modo de funcionar, inclusive no trabalho. Hoje, por exemplo, fixa sua ideia no anúncio de que a sessão seguinte será daqui a um mês*”.

Ao final da psicoterapia de relaxamento, o terapeuta observa que Jeannine sempre relacionou, em cada sessão, com aquilo que vivenciava no trabalho, ao passo que nunca fez menção à sua vivência anterior nem à sua descompensação psíquica anterior.

“Como no trabalho”, Jeannine, durante a sessão de relaxamento, não consegue seguir o curso de seu pensamento, levar seu projeto a termo etapa por etapa. Seu pensamento se dispersa, escapa-lhe, sua intenção se apaga; ela não tem mais certeza nem do que realmente fez, nem do que tem a fazer.

Jeannine conscientiza-se de que esse fenômeno é acentuado, ou mesmo produzido, por duas ordens de “ruídos parasitas”:

- A hipersensibilidade aos *estímulos* externos, essencialmente auditivos aqui: “*Ela diz que é impossível concentrar-se em qualquer atividade, que os menores* estímulos *a distraem imediatamente*”.
- A ideia obsessiva das tarefas realizadas ou a realizar: “*Sua mente se perde na rememoração das atividades da véspera ou na antecipação das tarefas por vir*”.

A incapacidade de relaxar, assim como a de concentrar-se, é acompanhada por uma desregulagem do funcionamento mental no nível percepção-consciência: hipervigilância aos estímulos externos, pane do pré-consciente com repressão da vida fantasística: “*A senhora B. explica não ter imagens porque não consegue concentrar-se, sua mente se perde, mas sem conteúdo, sem representação*”. Única escapatória: a sonolência, a queda da vigilância. Porém, “a impossibilidade de deixar brotar imagens” afeta Jeannine, que identifica bem o contraste com seu funcionamento psíquico “normal”.

Paralelamente, nas entrevistas com o psiquiatra, Jeannine fala da evolução de sua situação de trabalho, desde sua contratação há mais de um ano, num contexto de organização do trabalho em que as margens de autonomia eram tidas como satisfatórias, com um superior hierárquico descrito como compreensivo, uma responsabilidade de seção dividida com uma colega que trabalhava meio turno e com quem a divisão das horas de trabalho era negociável, desde que as duas garantissem o atendimento aos clientes nessa loja aberta ao público cinquenta e duas horas por semana.

A situação evoluiu desde então, com a chegada de um novo chefe, encarregado de implantar as reestruturações decididas pela direção geral nacional, que visavam a melhor gerenciar os efetivos, jogando com uma polivalência a cada dia e com a flexibilidade dos horários: aumentar o número de tarefas a serem realizadas por cada uma das vendedoras, consideradas intercambiáveis e encarregadas, dali em diante, do atendimento aos clientes, do controle de estoques, das encomendas, da organização das peças de tecido ou dos expositores e caixas de roupas, mas tendo também de substituir prontamente uma colega ausente ou indisponível em outra seção da loja, ensinar o trabalho às recém-contratadas, todas elas com contratos de duração determinada.

É muito mais difícil, explica Jeannine, antecipar, organizar seu tempo, já submetido às irregularidades do fluxo de clientes. É preciso estar em todos os lugares ao mesmo tempo, muitas vezes de maneira imprevisível. Os horários de trabalho tornam-se também irregulares, às vezes modificados de um dia para o outro.

O mais difícil de suportar, no entanto, para Jeannine, é a perda de autonomia e a falta de reconhecimento num trabalho que passou a ser constantemente controlado por um chefe irritado, negando sua experiência e suas competências, intervindo o tempo todo para mandar interromper a atividade em andamento e realizar imediatamente outra tarefa considerada prioritária e que deve ser concluída antes de ser iniciada...

O clima deteriorou-se entre os colegas. A ajuda mútua espontânea desapareceu, levada pelas ordens de reforço inesperadas, sempre vividas como uma sobrecarga de trabalho imposta desigualmente, quando, antes, "dar uma mão" depois de sua própria tarefa terminada não causava problema algum.

A construção da solidariedade é difícil com as novas contratadas, que são vistas como submissas e "mudas", por causa de sua situação precária de emprego, o que Jeannine entende perfeitamente, mas vivencia mal, com um grande sentimento de solidão, pois, além disso, as trabalhadoras antigas somem aos poucos, temporária ou definitivamente: licença de trabalho em decorrência de uma úlcera gástrica; depressão; maternidade não programada, mas bem-vinda para fugir do trabalho; demissão...

Progressivamente, Jeannine conscientiza-se de que se ela "funciona" assim, "inclusive no trabalho", não é porque transtornos cognitivos de origem indeterminada estejam prejudicando sua capacidade de trabalho, mas justamente porque as novas modalidades organizacionais de seu trabalho desestruturam suas capacidades cognitivas, até mesmo, agora, fora do trabalho. Jeannine está "desorganizada".

Os terapeutas, por sua vez, no compartilhamento de suas observações, validam também a seguinte hipótese: os transtornos cognitivos e psicomotores de Jeannine não são a causa das dificuldades encontradas no trabalho, mas a consequência delas.

A polivalência em situações imprevisíveis, a obsessão pelos prazos, a interrupção incessante de sua atividade por ordens a serem executadas imediatamente ("*estímulos* auditivos" temidos e sempre esperados, num "estado de alerta" permanente) tornam impossível todo e qualquer trabalho de seguimento, toda e qualquer finalização do programa psicomotor em andamento, e desapossam Jeannine, não só de sua autonomia de ação, mas também de sua autonomia de pensamento.

É sempre rompido o fio de uma atividade agora impedida de iniciativa e que se acelera, cada vez mais desastrosamente, entre ordem e contraordem, entre fluxo irregular de clientes e imprevisibilidade das tarefas a serem efetuadas, sempre inacabadas, sempre presentes em mente, saturando o campo de consciência com o seu inacabamento...

Jeannine não está satisfeita, muito menos orgulhosa, com esse trabalho fragmentado, nem feito nem por fazer, cujo fim ela não vê e do qual perdeu a visão de conjunto. Um trabalho que se tornou irrepresentável para ela e que quase não é mais apresentável à avaliação de outrem.

A conscientização das relações entre seu estado mental atual e as características da organização do trabalho provoca, em Jeannine, uma redução rápida da ansiedade e dos transtornos do sono. Jeannine consegue então interrogar-se sobre a natureza de seus transtornos, no momento em que se dá conta de que outras trabalhadoras reagiram de outra maneira (úlcera gástrica, depressão) a uma situação de trabalho aparentemente idêntica para todas. Ela consegue avaliar sua necessidade pessoal de domínio, de controle, sua dificuldade de perder a habilidade naquilo que faz, de aceitar que interfiram ou que procedam de modo diferente dela.

Uma sessão de relaxamento especialmente marcante, tanto para o seu terapeuta como para ela, foi aquela em que Jeannine sentiu uma nova sensação: uma descontração da cabeça e do pescoço, sensação descrita como uma "descoberta" e sessão vivida como uma "liberação".

Jeannine acaba aceitando uma licença de trabalho, recusada até então por causa do temor de perder o emprego, mas desta vez legitimada por uma pequena intervenção cirúrgica programada. Durante essa licença de trabalho de três meses, todos os sintomas desaparecem progressivamente.

Essa constatação leva Jeannine a levantar e a considerar a questão da saúde no trabalho. O médico do trabalho, contatado com a autorização de Jeannine, confirma a "epidemia" que afeta o pessoal da empresa e nos informa sobre a advertência feita a respeito disso. Jeannine se comunica com outros colegas, envia à direção geral uma correspondência assinada com uma colega, que também está em licença de trabalho, e faz um comunicado junto ao órgão de fiscalização do trabalho. O engajamento nessa ação contribui para sua reestruturação psíquica, com o prazer recuperado de "funcionar".

O trabalho é retomado inicialmente com redução de carga horária terapêutica, depois Jeannine negocia meio turno por conveniências pessoais "para dar tempo ao tempo", antes de optar por uma licença de um ano para tratar de interesses particulares, com a ideia de conceber uma reorientação profissional em caso de ausência de evolução na situação da empresa.

O médico do trabalho documentou sua denúncia e comunicou expressamente à direção sua intenção de manter uma fiscalização regular, estendida no tempo, do risco constatado para a saúde dos trabalhadores.

Posteriormente, são feitas modificações no organograma e na organização do trabalho, com uma mudança do responsável hierárquico direto e a reintrodução de margens de autonomia para as trabalhadoras na gestão coletiva do trabalho, melhorias que Jeannine considera suficientes para arriscar-se, finalmente, a retomar seu posto na empresa, sem que seja constatada a volta dos sintomas e com possibilidade de pôr fim ao acompanhamento psiquiátrico.

Em psiquiatria, o trabalho dos pacientes permanece, na realidade, ignorado; o lugar do trabalho na vida mental, a relação subjetiva com o trabalho permanecem inexplorados.

Apesar dos indícios que pontuavam o discurso de Jeannine, semanas foram necessárias – para não dizer meses – para que se pudesse ouvir o que ela dizia sobre seu trabalho, saída sublimatória e fonte de sofrimento ao mesmo tempo.

Foi preciso confrontar-nos com o fracasso de uma abordagem compreensiva, inicialmente centrada apenas na dimensão psicofamiliar, na vida afetiva, para depois arriscar-nos a abordar a dimensão psicossocial da vida mental, para que o eixo de nossa investigação clínica se deslocasse e nossa escuta se orientasse para o lugar, central aqui, do trabalho na gênese dos transtornos atuais.

REFERÊNCIAS

DONIOL-SHAW, G.; GUIHO-BAILLY, M.-P. "Emploi, conditions de travail et santé des employées dans les services", *Les Cahiers du* MAGE, 4/96, 15-33.

CAPÍTULO IV

"CENTRALIDADE DO TRABALHO" E TEORIA DA SEXUALIDADE

CHRISTOPHE DEJOURS

CHRISTOPHE DEJOURS exerceu a psiquiatria em meio hospitalar, é psicanalista e professor titular da cátedra Psicanálise-Saúde-Trabalho, no Conservatoire National des Arts et Métiers.

Ao contrário do que se admite geralmente, o trabalho não aparece apenas no cenário da trama psiconeurótica. Pelo menos é esse o ponto de vista que tentaremos argumentar, apoiando-nos na psicodinâmica do trabalho. A clínica que essa disciplina engloba desde o pós-guerra sugere, de fato, que o trabalho ocupa um lugar central no desenvolvimento da personalidade, desde a primeira infância até a maturidade. Não consideraremos aqui os reflexos do trabalho no desenvolvimento psíquico antes da adolescência. Limitar-nos-emos a discutir o lugar que ocupam as relações sociais de trabalho na construção da identidade sexual e a analisar as dificuldades que elas trazem, até mesmo para a *economia erótica*, na adolescência. Embora a finalidade deste artigo seja conceitual, a discussão teórica não poderá ser aprofundada. De fato, desejamos reunir primeiramente os elementos clínicos de que precisamos para abordar a questão da *escuta* e da interpretação da dimensão do trabalho no funcionamento psíquico. Apoiamo-nos, portanto, no trabalho psicoterápico de uma jovem no fim da adolescência.

DA SOLICITAÇÃO INICIAL DA PACIENTE À CONSTRUÇÃO PSICANALÍTICA DE UMA PROBLEMÁTICA SEXUAL NEURÓTICA

Ela tem apenas vinte anos quando passa pela primeira vez pela porta do consultório. Solicita uma psicoterapia, a fim de analisar seu comportamento, diz ela. Por quê? Porque sofre de dores na região pélvica há vários anos e pergunta-se se isso não estaria relacionado com o que se passa na sua cabeça.

Mulvir é magra e tem um corpo bem feito. Tem um rosto um pouco incomum que sugere que, quando for mais velha, poderá parecer-se com algum retrato de Toulouse-Lautrec. Seu queixo é forte e pronunciado. Seu nariz reto prolonga-se como se fosse alcançar o queixo. Veste-se com muito esmero e vaidade.

Mais adiante, ela alterna roupas elegantes e trajes compostos por jeans justos, botas de salto alto com bico fino, às vezes jaqueta de couro. Sua silhueta é alongada e flexível, suas articulações, muito finas, sua psicomotricidade, feminina e sem afetação.

Mora na casa dos pais, com quem as relações são marcadas por conflitos incessantes, às vezes muito árduos, principalmente com a mãe, que parece ser aquela que "usa calças compridas" em casa. Essa mulher é irritável, sobretudo desde algumas dificuldades encontradas em sua vida profissional. Teve de sair da empresa onde trabalhava e passou por um período de desemprego. Encontrou um emprego menos qualificado que os anteriores, que teve de aceitar mesmo assim por falta de algo melhor. Secretária, queixa-se constantemente da misoginia em seu meio profissional. O pai é "técnico comercial". No passado, sofreu de uma úlcera gástrica, pensou fazer uma psicoterapia, mas não a iniciou. Incentiva a filha em sua iniciativa atual.

A situação descontraiu-se consideravelmente no pequeno núcleo familiar quando Mulvir completou dezoito anos. Seus pais consideraram então que ela estava livre para fazer o que quisesse e que não eram mais responsáveis por ela. Preferiu continuar morando sob o teto familiar, depois de ter negociado com eles as obrigações mínimas da vida em conjunto.

Mulvir tem uma irmã, dois anos mais velha, que deixou a casa dos pais e foi viver com um rapaz que tinha muitas dificuldades de relacionamento. Esse homem era alcoólatra, frequentemente violento, infiel. Revelou-se, por fim, bissexual. Desde o rompimento, a irmã enclausurou-se numa vida muito fechada e solitária, como se não pudesse mais sentir gosto nem alegria na vida. Mulvir sente-se muito envolvida com o futuro da irmã. Esforça-se muito para fazê-la sair, alegrá-la e tentar restabelecer o relacionamento com os pais. Apresenta as coisas como se o destino da irmã fosse uma de suas preocupações essenciais, como se as dificuldades desta pudessem afetar seu próprio futuro.

Mulvir trabalha. Neste âmbito, também, ela encontra dificuldades. As relações com certos colegas do sexo masculino são vivenciadas pelo modo da rivalidade, principalmente com seu chefe, e acabam em desvantagem para ela. Observou que, quando o conflito se agrava com o chefe, Mulvir sente crescer uma raiva intensa, que ela reprime, mas que é seguida por uma crise de dores abdominais. As cólicas são impressionantes, manifestam-se em momentos de contrariedade ou de angústia.

Quando prestou o *baccalauréat* (exame de conclusão do ensino médio na França), por exemplo, só conseguia fazer as provas durante uma hora das quatro horas previstas, passando as três horas restantes no toalete, encolhida de dor. Não eram nem espasmos nem verdadeiras cólicas, mas uma impressão de ser apunhalada por dentro.

Espanta-me o modo muito cru pelo qual ela fala de seus ataques de raiva, durante os quais é tomada por uma vontade de bater violentamente em todas as pessoas que a cercam. No entanto, sua aparência é tão frágil e tão feminina, que é difícil imaginá-la transformando-se em uma selvagem, tampouco como poderia exercer qualquer ato de violência contra alguém. Em outros momentos, também chega a falar de seu medo dos homens e da violência, bem como de todas as formas agidas de relações de força física.

Às minhas perguntas sobre as formas possíveis de violência exercida no seio da família, ela responde que eram muito raras. A mãe, em compensação, tinha ataques de raiva e berros às vezes impressionantes. Mulvir guardou disso uma sensibilidade que chega à beira de um verdadeiro pânico assim que alguém levanta a voz. Isso desencadeia suas crises de cólica. O pai, por sua vez, é raramente violento. Ocasionalmente, deu-lhe umas bofetadas, mas Mulvir pensa que essa forma de agir tem um lado bom e que é melhor ter sido corrigida energicamente do que ter sido paparicada demais, o que a levaria (como ela constata entre seus conhecidos, que tiveram a infelicidade de ter tido uma educação muito frouxa) a se tornar um ser infeliz para quem a vida é difícil. Ela lembra, contudo, que o pai, quando estava muito zangado, dava-lhe pontapés no traseiro, nela e em sua irmã – e Mulvir ri.

Na segunda sessão, ela faz questão de me falar de algo que omitiu e que talvez seja importante. Ao assistir, noutro dia, um programa de televisão sobre os sonhos, lembrou-se de sonhos que tinha seguidamente quando era criança. Mulvir "imaginava" ter um irmão. Seria um irmão mais velho, dotado de todas as qualidades: força física, inteligência, extensos conhecimentos, erudição acerca de todos os problemas que surgem na vida cotidiana e, por fim, grande estabilidade mental e afetiva. "Um super-homem", completa ela, caso eu não tivesse entendido. Mulvir sorri ao falar de seus sonhos.

Volta a falar várias vezes desse irmão mítico que inventou para si mesma. Diz que esse irmão "tinha um grande desejo...", mas interrompe: "Não! Eu queria ter sido esse irmão, e nos meus sonhos, acontecia seguidamente de eu me tornar esse irmão". Mulvir via-se no pátio de sua escola, era um pátio com árvores plantadas... sentia-se então dotada de uma incrível força física que lhe permitia subir nas árvores e até mesmo sobrevoá-las. Ela também poderia ter usado essa força quando tivesse vontade de bater em alguém que estivesse à sua volta.

Falou de seus sonhos aos pais, depois do programa de televisão. Estes ficaram estupefatos. A mãe contou então que, de fato, existira um irmão, que hoje teria uns trinta anos. Mulvir e ele teriam tido exatamente a diferença de idade que ela havia sonhado, se o irmão não tivesse morrido ao nascer. Como ela poderia ter tomado conhecimento desse fato, uma vez que seus pais nunca haviam mencionado, até aquele momento, a existência desse irmão, nem diante dela nem diante da irmã?

Em seus devaneios, Mulvir dera um nome a esse irmão, nome esse que tem semelhança fonética com o de seu pai.

Essa problemática de identificação com as pessoas de sexo masculino é também encontrada em suas relações profissionais e seus investimentos fora do trabalho: por exemplo, Mulvir decidiu fazer aulas de musculação – não de fisiculturismo, esclarece. Tem adquirido assim certa força física e certa confiança em si mesma. No entanto, sabe que não há como pensar em poder adquirir um dia a força de um homem ou o potencial muscular para brigar ou se comparar aos homens. Mas agrada-lhe quando alguém lhe pede ajuda para afrouxar um parafuso ou uma tampa, por exemplo.

Já na segunda entrevista, então, suas associações a levam a interrogar-se sobre sua identidade sexual. Ela diz não ter nenhuma atração por mulheres. Não se sente homossexual. Bem pelo contrário, prefere a companhia de homens. Em sua fala, identifico que ela usa várias vezes a expressão: "levar um golpe pelas costas" ou "um golpe por trás". Mulvir pensa que as mulheres podem desferir golpes por trás, golpes pelas costas. Os homens, não! Ela nunca esperaria deles uma conduta desse tipo. Em seu trabalho, porém, esse colega a quem se referiu a golpeia por trás. Ela trabalha em um meio em que, tradicionalmente, só há homens. Esse colega, que é também seu chefe, de uns cinquenta anos de idade, suporta com dificuldade a presença de Mulvir, com sua aparência feminina e vaidosa, que realiza o mesmo trabalho que ele, provavelmente, às vezes, com mais esmero, mais assiduidade e mais habilidade que ele. Ele lhe desfere então golpes por trás, falando dela para a hierarquia de maneira prejudicial. Esses golpes por trás a surpreendem tanto, que ela acaba se perguntando se seus colegas são homens. Quando tem algo a dizer a alguém, então ela diz na cara!

Trata-se, portanto, de uma problemática psicossexual bastante clara. Mas como essa problemática se expressa no registro erótico?

Mulvir gosta de sair e, todo sábado à noite, vai a uma ou outra discoteca da região. Dança, paquera e transa com um cara diferente. Mas é sempre uma decepção. As relações sexuais lhe doem. Ela não tem lubrificação vaginal suficiente e a penetração acaba, muitas vezes, em hemorragias vaginais, com a laceração da mucosa. Ela nunca se apaixona, ou então é algo muito efêmero. Neste caso, ela começa a fazer planos mirabolantes para o futuro, sem relação com o estado atual da situação. Totalmente estruturados por cálculos racionais, esses planos não dão nenhum espaço para a fantasia ou para a paixão sentimental. A psicoterapia já dura dois anos. O conflito com os seus pais volta a se agravar. A mãe está agora aposentada. O pai se aposentará em breve, e o clima se deteriora. Em casa, a mãe é insuportável e mal-humorada. Mulvir quer ir embora e ter a sua casa, mas os pais, que temem possivelmente ficar sós, opõem-se a esse projeto. Ela consegue ir embora, apesar disso, e se instala em uma moradia popular. Certo dia, ela reage ferozmente à atitude de seus pais. Eles não entendem o que está lhe acontecendo. De maneira pouco convincente, tentam justificar as reprovações que ela dirige a eles. Exasperados, acabam declarando que tudo isso é certamente o resultado dessa "bobagem de psicanálise", que a insurge contra eles. Recusam responder a suas perguntas insistentes sobre a infância, sobre o passado deles, etc. Como os pais a provocam cada vez mais a respeito desse "idiota do analista" e como a situação parece travada, eu proponho a Mulvir, se quiser, responder aos seus pais que "se eles se interessam tanto pelo analista, podem marcar uma consulta com ele".

É o que logo acontece.

Depois dessa entrevista, o conflito com os pais ameniza-se incrivelmente. Desculpabilizados, eles aceitam responder a todas as perguntas de Mulvir, o que faz sair dos não ditos e põe fim a interpretações de tendência persecutória na paciente. Até então, em suas saídas de sábado à noite, Mulvir só encontrava psicopatas e perversos, "caras tatuados", facilmente violentos, e com frequência alcoolistas. A partir dessa etapa, sua vida sexual muda de orientação, e ela passa a encontrar rapazes "menos rudes".

A despeito de suas alegações iniciais, ela se surpreende em devaneios, às vezes, de que está com uma mulher, principalmente quando se masturba, e me pergunta com sinceridade, realmente perplexa, se, no fundo, é ou não homossexual.

Enquanto nos atemos à análise das ligações entre seus dissabores sexuais e a dinâmica identificatória de suas relações com os pais, as coisas parecem claras. Mulvir recusa a identificação com sua mãe, toma para si o projeto de vida de seu pai. Ele foi técnico no início de sua carreira profissional, ela também. Ele conseguiu se tornar técnico comercial, este é também o sonho dela atualmente. Se, por um lado, sua identificação com o pai é clara, por outro, essa identificação não vem acompanhada por uma idealização dele. Ao contrário, Mulvir considera lamentável o estilo de vida de seus pais, a fidelidade conjugal deles, suas relações sexuais semanais que terminavam pela ida ritual da mãe ao banheiro, etc.

RESISTÊNCIA À ANÁLISE OU LUTA CONTRA A RESIGNAÇÃO? A IRREDUTIBILIDADE DO SOCIAL AO SEXUAL

No entanto, o trabalho psicoterapêutico patina. A ausência de regressão, a ausência de hostilidade contra o analista e a ausência de repetição dos conflitos infantis na transferência esvaziam toda interpretação de qualquer eficácia mutativa. Trata-se, ao que me parece, de uma situação típica em que, enquanto tudo parece estar reunido para que a reapropriação seja acompanhada por uma emancipação, nada se move. Não se pode invocar a reação terapêutica negativa, tampouco uma síndrome de fracasso; a boa reatividade dos pais também não permite aventar a hipótese de uma relação simbiótica inaparente.

É deslocando o centro de gravidade da escuta analítica que novas perspectivas vão abrir-se. Se Mulvir não consegue encontrar em sua mãe uma referência identificatória não é porque não a tivesse amado suficientemente. É antes porque a paciente recusa vigorosamente renunciar a certas expectativas e resignar-se ao ser-no-mundo de mulher que sua mãe materializa: mulher fiel, sem vaidade, secretária-datilógrafa infeliz em seu trabalho, agressiva com o marido e os filhos, frustrada no plano social, decepcionada por uma aposentadoria que não oferece nenhuma perspectiva de emancipação. Esse ser--mulher não tem nada de atrativo, de nenhum ponto de vista, principalmente nos planos profissional e social.

Mulvir, ao contrário, "tem ambições" profissionais autênticas. Por certo, suas ambições não se assemelham àquelas que a sociedade se compraz em elogiar e que vem geralmente do universo das classes abastadas. Mulvir prestou um exame nacional de ensino médio técnico e obteve um BTS[2]. Trabalha num centro de eletrônica, onde faz montagens de protótipos, frequentemente em "sala limpa". Atualmente, é "técnica eletrônica em tecnologia de camada espessa". Sempre foi boa em matemática. Deseja prosseguir por esse caminho e passar a exercer depois uma função técnico-comercial. Porém, em sua situação familiar, social, material e profissional, parece que esse projeto é incompatível com um modelo social de mulher. De fato, ao seu redor, em seu ambiente de operários, de empregados e técnicos, só há homens. As companheiras desses homens são "mulheres bem-comportadas", infelizes, que renunciaram a qualquer ambição social por não terem nada no horizonte além da maternidade, da vida doméstica e de empregos não qualificados, enquanto os homens são machistas, grosseiros, nada afetivos, e só se interessam pelas mulheres para "engrossar sua coleção de conquistas".

Ora, em suas relações com os homens, por aquilo que ela chama de sua "necessidade sexual", sua incapacidade de suportar a abstinência sexual apesar de seus dissabores e da ausência de prazer erótico, Mulvir encontra essencialmente parceiros que representam o que ela detesta: machismo, indiferença afetiva, tendência à bebida e à grosseria.

Com eles, parece buscar, na verdade, o *reconhecimento de uma identidade*, pelo modo da *paridade*. Não tem nenhuma afeição por esses homens que conhece em apenas uma noite. Não se interessa por eles, não procura nenhum

2 N.T.: *Brevet technicien supérieur*. Na França, trata-se de um diploma de curso técnico do ensino médio.

compromisso. Seus encontros são rigorosamente egocêntricos. Busca, acima de tudo, ser respeitada, estimada por esses homens, principalmente pelos mais machistas. Se por ventura a situação for mais moderada, as relações se invertem, e é ela que passa a menosprezá-los ao falar deles.

Seu desejo, inconscientemente, é a estima "social" da parte dos homens machistas, para poder, em seguida, estabelecer com eles uma relação erótica na alteridade entre os sexos, de igual para igual, não numa relação dominante/dominada. Esse conflito acaba mal do ponto de vista de sua busca de identidade sexual, porque a pregnância das relações sociais de dominação e a luta travada ali a conduzem constantemente a se portar como um homem, o que, então, não lhe possibilita mais fazer valer sua identidade de mulher. Nesse meio social, de fato, uma mulher não pode ser igual a um homem. Deveria aceitar uma situação de dominada. Porém, Mulvir quer a um só tempo uma relação *diferenciada* homem-mulher e uma relação de *igualdade* desvencilhada das relações de dominação. Seria impossível?

É nesse ponto que, frequentemente, o psicanalista comete um erro. Admite como equivalentes, em se tratando das mulheres, posição feminina e aceitação da dominação pelos homens nas relações sociais, no trabalho e na sexualidade. A recusa da dominação, de um lado, a recalcitrância diante da renúncia à realização pessoal no campo social e profissional, de outro lado, são então compreendidas como uma reivindicação fálica, e não como um desejo de construção e reconhecimento de uma identidade sexual feminina emancipada.

Somos levados agora ao cerne da teoria da sexualidade e de suas relações com o trabalho. Para analisar o conflito entre as expectativas em relação à construção da identidade no campo do *trabalho* e a expectativa em relação à construção da identidade no campo *erótico*, será necessário romper com as concepções clássicas das relações entre trabalho e funcionamento psíquico.

Tradicionalmente, o trabalho enquanto tal não faz parte do campo de investigação e de teorização psicanalítica.

Porém, quando um lugar lhe é reservado na problemática psiconeurótica, esse lugar diz respeito, em geral, a homens ou adolescentes do sexo masculino. É o caso das teorizações de Freud sobre a sublimação[3]. Recapitulando o que nos é proposto pela literatura da psicopatologia geral, podemos destacar duas problemáticas típicas:

- A problemática da escolha profissional, que traz à cena as questões relativas aos investimentos sociais, à sublimação, às identificações, às idealizações e às formas expressivas de seus fracassos no adolescente ou no adulto (vetorização inconsciente → trabalho).
- Aquela dos impactos da situação de trabalho sobre a vida psíquica e afetiva do adulto, até mesmo, de modo mais geral, sobre a saúde mental ou somática (vetorização sociedade → sujeito).

Dentro dessas duas problemáticas, encontra-se implicitamente aceita a ideia de que o trabalho constitui uma dimensão ontologicamente *externa* ao sujeito, um *elemento de realidade* em que se condensam os dados relativos ao funcionamento da sociedade (hierarquia, dimensão econômica, etc.) e à concretude das exigências ligadas à atividade (gestos, habilidades, saber-fazer, conhecimentos a serem adquiridos – competências – e aplicados – desempenhos).

Se essa realidade pode ser desestabilizadora ou traumática, ela é pensada pela psicanálise, por outro lado, apenas como radicalmente alheia, o problema em relação à vida subjetiva sendo somente de articulação, concebido geralmente em termos de adaptação ou de ajuste psíquico.

Nesse contexto, e quando é fonte de sofrimento, a relação subjetiva com o trabalho é abordada conforme duas vias, entre as quais cada autor escolhe uma em função de seus pressupostos.

3 FREUD, S. "Un souvenir d'enfance de Léonard de Vinci" (1910), *Oeuvres complètes*, trad. française, Paris, PUF, 1993, vol. X, p. 83-164.

Num caso, considera-se que a sociedade em geral é dotada de uma força gigantesca, incomparavelmente maior que aquela do desejo inconsciente, estabelecendo uma relação de forças semelhante àquela que existe entre um gigante malévolo e egoísta, de um lado, e uma criança indefesa e desprovida de recursos, de outro. Fala-se então simplesmente em termos de estresse ou de inibição comportamental[4], de adaptação ou de desadaptação[5].

Ou, noutro caso, considera-se que a sociedade é o que é, além de ser a mesma para todo mundo. Os transtornos psiconeuróticos, ainda que tomassem o palco da relação com o trabalho como terreno de expressão privilegiado, não questionariam a contingência do trabalho em sua etiologia. De fato, o impacto eventualmente deletério do trabalho não dependeria da sociedade, mas de fragilidades psiconeuróticas singulares, herdadas da neurose infantil. Fala-se então em termos de teoria do traumatismo.

Essas abordagens têm sua importância, embora não deixem saber se o sujeito ou a sociedade é responsável pelo sofrimento e pela doença daquele que trabalha (ou não trabalha).

DAS REFERÊNCIAS TEÓRICAS EM SOCIOLOGIA À FORMAÇÃO DA ESCUTA PSICANALÍTICA DO TRABALHO

Proporei, a seguir, dar um passo à frente na análise da relação subjetiva com o trabalho, seguindo três orientações:

- Escutar especificamente a intrincação entre o *erótico* e o *dessexualizado* na formação dos sintomas e na elaboração da transferência.
- Trabalhar essa questão da intrincação no momento mais decisivo – ou seja, no momento da adolescência.

4 N.T.: No original, *agressologie*.
5 CHERNISS, C. *Staff Burnout: Job Stress with Human Services*, Beverly Hills (CA), Sage Publications Inc., 1980.

- Por fim, refletir sobre as questões práticas a partir da clínica feminina, pois, a meu ver, é nela que as dificuldades para a escuta são maiores. A concepção que temos do trabalho é forjada a partir de pressupostos sexistas. Os psicanalistas têm dificuldade, quando escutam as mulheres, de contestar a pregnância das relações de dominação que os homens exercem sobre as mulheres no mundo do trabalho.

Mulvir, então, formula claramente, desde o início de sua psicoterapia, o desejo de exercer uma profissão que lhe agrade e que tenha escolhido, de conquistar, graças a esta sua independência material, a liberdade, isto é, a emancipação social nas relações de dominação das mulheres pelos homens, de fugir, enfim, do destino de sua mãe. Em suma, ela quer ao mesmo tempo ter um futuro profissional que possa realizá-la socialmente *e* ser mulher.

Porém, tanto seu meio *profissional* como seu meio *social* constituem obstáculos a isso, oferecendo-lhe como perspectivas apenas a renúncia, a decepção e a morosidade. Em outras palavras, Mulvir é convidada pelos constrangimentos sociais e profissionais a escolher entre o ser-mulher e a realização pessoal no campo social. Trata-se de uma situação típica, que se distingue claramente daquela reservada aos homens. Para estes, é evidente que a realização pessoal no campo erótico-afetivo e a realização pessoal no campo profissional e social caminham de mãos dadas, até mesmo se reforçam mutuamente.

Assim, parece normal, num casal, que a mulher aceite renunciar à realização pessoal no campo social (isto é, a uma carreira ou a uma profissão) para deixar o terreno livre para a realização do homem. Da mesma maneira, parece normal que a mulher aceite tarefas desqualificadas e alimentares para que o homem conclua seus estudos, que ela renuncie à sua carreira para encarregar-se do trabalho doméstico ou estar disponível para enfrentar os incidentes que afetam a vida dos filhos e, por fim, que ela aceite depender financeiramente do homem. Este, em compensação, só ganha com isso maior autonomia e poder na dinâmica das relações dentro do espaço privado.

Incontestavelmente, configurações mais justas entre homens e mulheres são possíveis. Existem casais que se esforçam para respeitar a autonomia, a igualdade de direitos e de aspirações sociais e profissionais entre cônjuges, e que conseguem, ao mesmo tempo, reconhecer as diferenças de identidade sexual entre parceiros. Podem estar reunidas, até mesmo, as condições mais favoráveis para a construção das identidades sexuais, na medida em que as relações amorosas estariam, então, desvencilhadas de toda e qualquer referência à dominação das mulheres pelos homens. Porém, a igualdade perfeita é exceção, e a redução das desigualdades, assim como a redução do recurso às relações de dominação pelo homem, permanece minoritária na sociedade contemporânea.

No que se refere a Mulvir, em todo caso, o mundo social e profissional permanece bastante hermético a essa evolução. O preço a pagar por essa obstinação em afirmar escolhas profissionais é, no caso de Mulvir, um impasse no mundo erótico e afetivo. Em seu meio, *não* parece haver *mulher* capaz de constituir o *modelo* da emancipação *e* do êxito sexual com que ela sonha.

Essa psicoterapia se iniciou quando, já há uns doze anos, eu estava envolvido em pesquisas na área da psicodinâmica e da psicopatologia do trabalho. Mas foi somente dois anos após o início da terapia que consegui pessoalmente compreender, sob a influência de pesquisadores em sociologia, o conceito de "*relações sociais de sexo*" e as ligações indissociáveis entre relações sociais de sexo e *relações sociais de trabalho*, de um lado, entre relações sociais de trabalho e *relações de dominação* ou relações de produção e *relações de reprodução*, de outro lado[6].

A análise dos conflitos entre conquista da identidade sexual no campo erótico e conquista da identidade no campo profissional (e social), na qual se inspira o caso apresentado

6 KERGOAT, Danièle. "Plaidoyer pour une sociologie des rapports sociaux", *Le sexe du travail*, Grenoble, PUG, 1984; et *Les ouvrières*, Paris, Le Sycomore, 1982.

anteriormente, é proposta por Danièle Kergoat e Helena Hirata[7]. Durante os dois primeiros anos da psicoterapia, minha escuta, aberta à problemática do trabalho, permaneceu essencialmente centrada na repetição da neurose infantil e nas manifestações psicopatológicas no sentido da psicossomática (algias pélvicas, frigidez, lesões musculotendinosas ocasionadas pela prática da dança a que Mulvir também se dedicava, das quais não tratarei aqui).

A assimilação dos conceitos da sociologia de relações sociais de sexo e de divisão social e sexual do trabalho foi seguida, para mim, de uma verdadeira reviravolta existencial. Foi à custa disso que a palavra de Mulvir despertou em mim, de repente, outros reflexos. Enquanto sua psicopatologia sexual me parecia, até então, como proveniente de uma reivindicação fálica e de uma recusa típica da castração, ela adquiriu, a partir dali, o sentido de uma luta trágica contra aquilo que, numa construção social, podia funcionar como um bloqueio socioprofissional às suas aspirações, como um entrave social ao seu projeto de ser mulher *e* de ser estimada como *igual aos homens*, o que não é absolutamente sinônimo de *ser* um homem. A busca dessa paciente pode fazer parte de uma luta contra a "*muliebridade*". A "muliebridade" é o status conferido às mulheres pelas *relações sociais* de sexo. Trata-se de uma construção social mais ou menos estereotipada da qual a mãe de Mulvir representa, afinal, uma expressão típica e específica de seu meio. O querer-ser-mulher da paciente adquire sentido num processo pelo qual ela tenta subverter as determinações sociais que conduzem à repetição da muliebridade.

Em outras palavras, a "feminilidade" seria o meio pelo qual a subjetividade se descolaria do estereótipo social de mulher-do-lar-submissa-ao-seu-homem, como a

7 HIRATA, Helena; KERGOAT, Danièle. "Rapports sociaux de sexe et psychopathologie du travail", *in* DEJOURS, C. *Plaisir et souffrance dans le travail*, Paris, AOCIP, 1988, t. II, p. 131-176.

masculinidade atestaria o caminho percorrido por um sujeito para não se deixar reduzir ao machismo convencional (identidade de empréstimo)[8].

Quando se torna possível reconhecer, na fala que Mulvir dirige ao analista, seu desejo de realização na profissão de técnica *e*, simultaneamente, suas aspirações a ser mulher, ela encontra alguém que rompe a repetição das aventuras anteriores.

Quem ela encontra? Um estudante de doutorado em engenharia que vem trabalhar em sua fábrica na mesma tecnologia que Mulvir. Ela lhe ensina gestos e habilidades que descobriu na prática do trabalho. Num sábado à noite, ele a convida para sair. Surpresa! Nessa primeira noite juntos, não foram para a cama pelo caminho mais curto. O que aconteceu então? Ele está de carro, eles saem, mas sofrem um acidente. Estragou a noite. Naquele mesmo dia, ele teve um almoço festivo com amigos e não está com fome. Leva Mulvir para a casa dele e lhe prepara uma pizza. Trata-se de um produto congelado e razoavelmente bom. Mas!... Mas é ele mesmo quem cozinha, põe a mesa, serve-a e não come. Eles conversam.

Pela primeira vez na vida, ela experimenta um verdadeiro movimento de afeição, que logo explode num sentimento de amor. "Pronto, acho que encontrei o príncipe encantado", exclama Mulvir durante a sessão.

Na noite seguinte, ela sabe que não poderá ter relação sexual com ele por causa de uma tricomoníase vaginal constatada. Mulvir está na casa dele, já é muito tarde, e não pode voltar para casa. Ele oferece sua cama e vai dormir no sofá. Ela não acredita! Mulvir propõe que ele venha deitar-se na cama com ela, mas pede-lhe para não tocá-la. Ele recusa. Ela insiste. Fazem sexo sem preservativo, sem que ela revelasse a causa de sua reserva.

Apesar dessas condições psicologicamente difíceis, é a primeira experiência sexual bem-sucedida em cerca de três

8 DEJOURS, C. "Le masculin entre sexualité et société", *Adolescence*, 1988, 6, 89-116.

anos. Com esse homem, Mulvir é *ao mesmo tempo* mulher *e* reconhecida, estimada *e* respeitada. Mas essa experiência só foi possível à custa de uma mudança de meio social.

"ESTRATÉGIA COLETIVA DE DEFESA" CONTRA O SOFRIMENTO NO TRABALHO E RISCO DE VIRILIZAÇÃO

Mais tarde, no entanto, Mulvir não consegue evitar vangloriar-se, perante seu namorado, de sua liberdade sexual. Isso não o choca. Ela descobre que é limitada a experiência dele com mulheres, e a dúvida toma conta dela. A sessão inteira é dedicada à perplexidade de Mulvir. O que a desestabiliza agora é o fato de que esse homem não é machista, diferentemente de todos aqueles que ela havia conhecido até aquele momento. Ela não sabe mais como situar-se. É realmente estimada? Reconhecida? Amada? Está fora de cogitação, em todo caso, ser usada como iniciadora.

A insatisfação sexual ressurge, mas de um modo bem diferente. Apesar de várias relações sexuais em que se mostrou muito entusiasta e ativa, Mulvir não está satisfeita. Não suporta a incerteza, a hesitação, a ambivalência a que agora está submetida. Não sabe esperar nem dar tempo ao tempo. Agora só fala de técnicas sexuais e não dá mais espaço para as questões afetivas: mergulha nisso por incapacidade de tolerar a angústia.

"Você fala de suas relações com seu namorado exatamente como um cara fala de uma garota", digo-lhe. "Você me conta as coisas hoje como se tivesse caçado um cara, como se agora a única coisa interessante fosse avaliar a técnica sexual desse cara, e você conta tudo isso para mim! Parece que você está querendo me mostrar agora que ele faz parte da sua coleção de conquistas, exatamente como, não faz muito tempo, você dizia detestar nos caras machistas. Você não se interessa mais por esse namorado, você não o reconhece mais, não tem mais nenhuma estima por ele, usa os mesmos termos grosseiros que os caras que você denunciava".

Embaraçada, Mulvir fica em silêncio durante um bom tempo.

Volta a falar para contar o que acontecia quando estava no curso profissionalizante, no curso técnico de preparação para o BTS.

Ao chegar à sala de aula, onde só havia garotos, todo mundo lhe "enchia o saco". O tempo todo e por qualquer motivo, zombavam dela e afirmavam que ela nunca seria aprovada, que nunca conseguiria acompanhar, que não aguentaria a retranca. Sobretudo os professores, que não a suportavam e despejavam sobre ela sarcasmos. Já quando estava se preparando para prestar o exame nacional de ensino médio técnico, seus professores, pouco antes do exame, advertiram-na de que, de qualquer maneira, não conseguiria se sair bem, quaisquer que fossem seus resultados. Suas notas, porém, eram boas durante o ano. Mulvir reagiu a essas maledicências com um ganho de energia; esse foi o melhor meio de desafiá-la, pois ela foi aprovada.

"Bem no início, havia duas outras garotas. Todos os garotos tinham entre dezesseis e dezoito anos e só falavam de 'bundas', principalmente diante das garotas. As duas garotas foram logo eliminadas porque recusaram participar do sistema". Para uma delas, "mais puritana e com um temperamento difícil, não durou muito. Ela abandonou". Quanto à outra, era constantemente alvo de comentários ofensivos por ser muito gorda. Foi a partir desse momento que Mulvir compreendeu que, para se sair bem, não podia ter um quilo a mais, senão teria de enfrentar o desprezo, as injúrias, a aversão dos garotos.

Sobretudo, foi então que encontrou outra estratégia, um "truque". Para isso, precisou de três meses. Esse truque consistia em adotar exatamente a mesma linguagem dos garotos, falar com vulgaridade e grosseria da sexualidade e das mulheres, aderir à panóplia do machismo, até mesmo a agir assim, nesse registro, mais do que os próprios garotos.

Identifica-se aí uma típica estratégia coletiva de defesa construída por homens, garantindo uma coesão coletiva dos alunos e dos professores, com base na virilidade socialmente construída, como nas profissões expostas a riscos (construção civil e obras públicas, geração de energia nuclear, marinheiros-pescadores, pilotos de caça, etc.)[9]. Como Mulvir, com dezesseis anos de idade, não queria abandonar seus estudos de eletrônica, pelos quais nutria verdadeira paixão, ela precisava enfrentar uma estratégia viril e adquirir o reconhecimento de paridade pelos garotos, sob pena de sofrer todo tipo de agressões que visavam a excluí-la e a fazêla capitular, a exemplo do que descreve Cynthia Cockburn[10].

Ao meu interesse, que não escondo, por essa fala (que faz remontar a origem das dificuldades à idade de dezesseis anos), Mulvir responde com o relato de uma história decisiva que lhe vem então à memória: "Era uma espécie de iniciação", "uma espécie de rito de passagem", conta ela.

Na classe, havia um cara um pouco débil, mal entrosado, cujos resultados escolares eram medíocres e que não devia ter podido permanecer ali. Mas o pai veio à escola para defender o filho. Explicou perante toda a classe, reunida para esse propósito, que seu filho fora vítima de um parto difícil, a fórceps, etc. Sua cabeça e seu rosto ficaram deformados, etc. Certo dia, o pobre coitado se apaixonou por uma garota da escola. Mandava-lhe bilhetinhos, mas não tinha coragem de entregá-los diretamente, e foi Mulvir que aceitou fazer a mediação. Nessa missão, ela fez o que pôde para tranquilizar a garota e assegurar-lhe que o pobre coitado não era perigoso. Num belo dia, o garoto declarou diante de seus colegas que beijaria essa garota e que teria filhos. Risadas generalizadas, piadas, sarcasmos vinham de todos os lados: "Que idiota, não é assim que se faz filho. Tem que armar a barraca". Mas ele não entendia o que isso queria dizer.

9 *Travail, usure mentale. Essai de psychopathologie du travail*, Paris, Bayard, 4ᵉ éd., 2005.

10 COCKBURN, C. "Machinery of dominance: Women, men and technical knowhow", *Les Cahiers APRE-IRESCO-CNRS*, 1988, 7, 93-99.

Situação favorável ao exercício do poder de dominação dos homens sobre as mulheres: eles forçaram Mulvir a explicar a esse garoto o que aquilo queria dizer.

O grupo a trancou na sala de aula com o garoto e esperou atrás da porta. Então, Mulvir entendeu que tinha de fazer aquilo se quisesse se sair bem. Conseguiu lhe explicar. Ao final da prova, o garoto teve de demonstrar que havia entendido. Respondeu então: "Sim, é quando fica duro".

As investigações realizadas na clínica e na psicopatologia do trabalho mostram que a adesão às estratégias coletivas de defesa tem um custo psíquico elevado. Na maior parte dos casos, essa adesão da qual depende a integração ao coletivo de trabalho passa não somente pelo consentimento passivo, mas também pela demonstração diante de todos os outros, cada vez que as circunstâncias exigem, de sua capacidade de trazer uma contribuição entusiasta e determinada ao funcionamento da dita estratégia viril. Quase todas as estratégias coletivas de defesa, no mundo do trabalho, foram construídas por homens e são perpassadas por um sistema de valores muito marcado pelos sinais externos da virilidade[11]. Para as mulheres, portanto, essas estratégias coletivas dos homens constituem um obstáculo à sua progressão na hierarquia, pois quanto mais se sobe na escala das qualificações mais os cargos são tidos coletivamente como um espaço reservado aos homens. Dessa maneira, para terem uma chance de encontrar condições propícias ao reconhecimento das qualidades profissionais e à realização pessoal no trabalho, as mulheres devem seguidamente conformar-se com certas condutas ou integrar um *habitus* de homem. E para as mulheres, as provas, os trotes e outras formas de testes se tornam ainda mais frequentes e exigentes que para os homens.

Assim, não é raro observar que as mulheres que se integram melhor, para obterem cargos de responsabilidade e terem acesso a tarefas interessantes, veem-se obrigadas a

11 *Travail, usure mentale. Essai de psychopathologie du travail,* op. cit.

adotar condutas ainda mais viris que aquelas dos colegas homens. Muitas mulheres fracassam nessa luta, que as divide internamente entre sua identidade sexual de mulher e sua identidade no campo social. Dentre aquelas que não se rendem, muitas são levadas a "virilizar-se", não somente de forma superficial, mas também em profundidade, ou seja, a perderem uma parte de sua feminilidade.

De fato, no mundo do trabalho, a luta é árdua, a concorrência se torna cada vez mais temível, e ninguém dá nada a ninguém. Assim, para enfrentar o trabalho numa postura e num *habitus* viris, é necessário um completo engajamento nisso. A virilidade exibida só é socialmente eficaz no mundo do trabalho se não se restringir à superfície e se envolver toda a personalidade. Por isso, não é raro que para essas mulheres a ascensão social e profissional se traduza em perturbações nas relações com os homens, na desestabilização das relações conjugais, em divórcios ou separações, etc[12].

Eis, então, minha compreensão da evolução da dinâmica conflitual de Mulvir: no início, há o seu desejo de ter acesso a um trabalho interessante e qualificado que a apaixone e represente, para ela, o acesso a um status social, o status de técnica, portador de mais esperanças que aquele de estenodatilógrafa e dando a possibilidade de um espaço autêntico para os investimentos sublimatórios. Para ter alguma chance de exercer essa profissão, é preciso, primeiro, aprendê-la. Como a profissão é quase exclusivamente exercida por homens, Mulvir não pode permanecer nela se não consentir em curvar-se às estratégias coletivas de defesa e aos trotes preparados por esses homens, condição *sine qua non* da integração social. O aprendizado das condutas viris teria de levá-la a adotar até mesmo um *habitus* viril (aprender "pelo corpo"[13]). Manter essa postura supõe buscar mo-

12 HIRATA, H.; KERGOAT, D. "Rapports sociaux de sexe et psycopathologie du travail", op. cit.

13 BOURDIEU, P. *Le sens pratique*, Paris, Minuit, 1980.

delos viris de identificação com vocação defensiva (e não por idealização). A virilização (que dilata o polo masculino da sexualidade) inicia efetivamente. Disso resulta uma crise de identidade sexual que leva a transtornos no uso do corpo erótico e a uma hesitação quanto à orientação da sexualidade (homossexual ou heterossexual).

No sentido inverso (desconstrução "associativo-dissociativa"[14]), há primeiramente o pedido de análise, mobilizado pelos sintomas sexuais.

O reconhecimento, pela análise, da conjunção do desejo de ter acesso às condições sociais propícias à sublimação com o desejo de ser mulher permite que a paciente redissocie desejo no campo erótico e expectativa de reconhecimento no campo social (encontro com o aluno engenheiro).

Por fim, a análise do recurso às práticas linguageiras machistas-viris, a respeito de uma relação amorosa bem-sucedida, permite remontar à primeira etapa do processo de virilização, durante a adolescência, para resistir à pressão das relações sociais de dominação das mulheres pelos homens. Delineia-se, finalmente, a perspectiva de introdução da feminilidade num mundo social recomposto.

CENTRALIDADE DO TRABALHO E TEORIA DA SEXUALIDADE: QUESTÕES TEÓRICAS

Alguns meses depois dessa sessão, Mulvir conhece outro rapaz, que trabalha como técnico numa pequena empresa familiar dirigida pelo pai. Além disso, esse jovem faz um curso de BTS em eletromecânica. Durante o tempo livre, há ocasiões em que os dois praticam mecânica juntos, resolvem problemas técnicos, fazem reparos e consertos de máquinas, até de um carro. Mulvir conhece os pais do namorado, que a

14 LAPLANCHE, J. "La psychanalyse comme anti-herméneutique", *Entre séduction et inspiration: l'homme*, Paris, PUF, 1999, p. 243-262.

apreciam muito e a recebem calorosamente. Sabe agora que está apaixonada e pensa que o rapaz está ainda mais apaixonado. Não vão morar juntos até que ele acabe seu curso. Simultaneamente, ela começa um novo curso técnico em nível universitário (DUT)[15], à noite.

Em seu trabalho, Mulvir é agora reconhecida por suas excelentes qualidades profissionais e, a despeito de uma importante redução de efetivos e da compra de sua empresa por um grupo maior, mantém seu emprego. Os transtornos sexuais desapareceram, bem como as crises abdominais, e a paciente encerra uma psicoterapia de três anos.

Pode-se, pois, admitir que a identificação com o *pai* funcionou, nessa paciente, em proveito de uma tentativa de construir-se como sujeito sexuado *feminino*, não renunciando ao reconhecimento social e à possibilidade de encontrar uma cena propícia aos investimentos sublimatórios. As últimas palavras de Mulvir atestam isso: "Eu disse a Paul [seu namorado] que talvez eu ainda fosse um pouco menina e que talvez tivesse um lado e gostos um pouco de garoto". Ele respondeu: "Eu nunca conheci uma garota tão feminina quanto você". Isso supõe que Paul também tivesse a capacidade de fugir, ao mínimo que fosse, dos estereótipos machistas e viris acerca do lugar e do papel das mulheres.

Podemos nos perguntar, evidentemente, como teria evoluído essa paciente se não tivesse feito três anos de psicoterapia. As dificuldades sexuais com as quais se deparou me parecem provenientes exatamente da problemática da adolescência, entre sexualidade e sociedade[16].

Parece-me também que a solução para o conflito intrapsíquico não estava determinada de antemão. Pelo menos três caminhos eram possíveis.

15 N.T.: *Diplôme universitaire technologique*. Na França, formação universitária em dois anos.

16 DEJOURS, C. "Le masculin entre sexualité et société", op. cit.

- O primeiro consistia na repetição da problemática psicossexual parental, com os mesmos impasses, no registro tanto sexual como social, a exemplo do que parece ser o destino da irmã de Mulvir. A solução teria sido então uma feminilidade encravada, até mesmo alienada, na *muliebridade*.
- O segundo caminho estava na apropriação das relações sociais de trabalho, dando continuidade ao que fora esboçado desde os dezesseis anos de idade. A recusa de renunciar à emancipação social e à realização pessoal, no campo profissional, poderia ter-se articulado com sucesso a uma orientação libidinal no sentido da *homossexualidade*. O peso da escuta analítica poderia ter sido decisivo nesse sentido, bastando que se fosse fiel à interpretação clássica dos conflitos de identificação e que, diferentemente da escuta anterior, fosse validado seu horror pela identificação materna. A solução teria sido uma sexualidade cativa da virilidade.
- Por fim, o terceiro caminho possível era o da resolução do conflito entre investimentos sexuais e investimentos sociais, não pela renúncia a um dos dois termos, em nome do reconhecimento da castração, mas pelo êxito conjugado nos dois registros, sexual e não sexual, isto é, por um afastamento em relação à "virilidade defensiva", sem cair na muliebridade.

Cabe assinalar que a organização incontestavelmente neurótica da personalidade não permite prejulgar a orientação do conflito, no fim da adolescência.

A principal dificuldade do trabalho analítico reside na escuta e em suas incidências sobre a interpretação e a evolução da transferência.

Sustentar os investimentos no campo social é insuficiente se não se consegue acompanhá-los pela elaboração do conflito psicossexual em relação à origem defensiva da identificação viril. O conflito descrito não se situa entre desejo e culpa por obter o amor do pai e enfrentar a rivalidade com a mãe. A dimensão do Édipo negativo certamente não está ausente, mas esse conflito de identificação, herdado da neurose infantil, foi em larga medida elaborado durante a primeira fase da psicoterapia (dois anos) e terminou com a autonomização da paciente, que consegue se separar de seus pais e estabelecer com eles relações livres do componente passional do início da terapia.

Se o conflito estivesse rigorosamente atrelado à neurose infantil, sua resolução teria eliminado, no mesmo movimento, o vaginismo e a dispareunia (construção da identidade sexual por identificação com os pais, na diacronia). No entanto, os sintomas perduraram. A análise rescentrou-se então no componente social, isto é, no conflito que surge da construção da identidade sexual de *um sexo pelo outro*, na sincronia. Este conflito é sempre mediado pelas relações de trabalho, o que confere a estas a qualidade daquilo que é convencionalmente designado, na comunidade científica dos sociólogos, pela expressão *centralidade do trabalho*. A postura viril de Mulvir não é uma formação oriunda do desejo, mas uma formação defensiva, destinada a protegê-la psiquicamente dos efeitos deletérios da concorrência social com os homens, que a fidelidade aos seus investimentos sublimatórios implica inevitavelmente. A resolução do conflito de identificação passa, aqui, pela análise da dimensão defensiva dessa orientação da sexualidade para uma posição viril. Os investimentos sublimatórios – pelo menos é o que sugere a clínica em psicodinâmica do trabalho – têm sua própria racionalidade e nem sempre se inserem facilmente na continuidade das orientações eróticas. Notadamente nas mulheres, que se confrontam, exceto no caso específico da profissão de enfermagem[17], com relações sociais marcadas

17 MOLINIER, P. *Psychodynamique du travail et identité sexuelle*, thèse de psychologie, Paris, CNAM, 1995.

pela dominação das mulheres pelos homens. A participação adaptativa às estratégias defensivas construídas pelos homens contra o sofrimento que lhes causa sua própria relação com o trabalho pode funcionar como uma captura alienante, chegando ao ponto de pôr em xeque, não excepcionalmente, a identidade sexual feminina. O afastamento da problemática defensiva passa, aqui, por um trabalho muito peculiar que, quando realizado, leva a *alinhar a escolha amorosa aos investimentos sublimatórios, e não o inverso*, como se pensa habitualmente. É forçoso concluir que a análise dos requisitos da construção da identidade sexual no campo social pode passar à frente da análise da construção da identidade no campo erótico quando procuramos compreender o significado de sintomas sexuais.

O caso de Mulvir não é único. Ao contrário, a clínica comum da psicanálise sugere que a problemática do trabalho ocupa quase sempre um lugar comparável no trabalho analítico. Por certo, o problema é mais visível na clínica feminina que na clínica masculina, devido à assimetria provocada, entre homens e mulheres, pelas relações sociais de sexo e pela divisão sexual do trabalho. Mas o problema, na verdade, está igualmente presente nos homens, embora de forma diferente. Prova disso é a gravidade dos problemas psicossexuais associados à perda de emprego e ao desemprego entre os homens, para os quais a perda do reconhecimento e das condições de realização pessoal no campo social e profissional causa transtornos profundos e às vezes trágicos na identidade sexual. Escutar os conflitos sexuais gerados pela relação com o trabalho é uma coisa difícil. Não tratar o trabalho como uma realidade somente externa ao sujeito e não considerá-lo também como fora do alcance da investigação psicanalítica, reconhecer seu lugar essencial no cerne do próprio funcionamento psíquico e dos movimentos de organização e de desorganização da identidade sexual, tudo isso passa por uma sensibilização à psicodinâmica e à psicopatologia do trabalho. A escuta analítica, de fato, não pode repousar unicamente num talento nato, mesmo que este seja insubstituível. *A escuta é também uma disposição adquirida*, que passa por uma oscilação entre a elaboração e o confronto com o *conceito* e a *teoria*, entre interpretação e construção. Se é que, como mostra Patrick Pharo[18], o paradigma da compreensão do sentido implica uma passagem pelo conceito, que arranca a empatia do arbitrário interpretativo, é necessário, então, dedicar um tempo ao estudo da psicodinâmica do trabalho e da sociologia das relações sociais de sexo. "Só encontramos aquilo que procuramos e só procuramos aquilo que conhecemos", diz o adágio do clínico. De maneira geral, sinto-me inclinado a acreditar que temos dificuldades para escutar e interpretar a dimensão *erótica e corporal* na fala dos pacientes[19]. Do mesmo modo, na outra extremidade do campo clínico, escutar o que é tramado em torno da relação com o *trabalho*, isto é, dos investimentos não sexuais, e ouvir as ramificações desses investimentos que chegam até a esfera erótica exige que o analista seja capaz de analisar e interpretar sua relação subjetiva com o trabalho, a começar pela análise das incidências de sua prática profissional de psicanalista sobre sua própria vida erótica[20].

REFERÊNCIAS

BOURDIEU, P. *Le sens pratique*, Paris, Minuit, 1980.
CHERNISS, C. *Staff Burnout: Job Stress with Human Services*, Beverley Hills (CA), Stage Publications Inc., 1980.

18 PHARO, P. *L'injustice et le mal*, Paris, L'Harmattan, 1996.
19 DEJOURS, C, "Le corps dans l'interprétation", *Revue française de psychosomatique*, 1993, 2, 109-119.
20 DEJOURS, C. "Pour une clinique de la médiation entre psychanalyse et politique: la psychodynamique du travail", *Revue TRANS*, 1993, 3, 131-156.

COCKBURN, C. "Machinery of dominance: Women, men and technical know-how", *Les Cahiers APRE-IRESCO-CNRS*, 1988, 7, 93-99.
DEJOURS, C. "Le masculin entre sexualité et société", *Adolescence*, 1988, 6, 89-116; *Travail, usure mentale. Essai de psychopathologie du travail*, Paris, Bayard, 4e éd., 2005; "Le corps dans l'interprétation", *Revue française de psychosomatique*, 1993, 2, 109-119; "Pour une clinique de la médiation entre psychanalyse et politique: la psychodynamique du travail", *Revue TRANS*, 1993, 3, 131-156.
FREUD, S. "Un souvenir d'enfance de Léonard de Vinci" (1910), Œuvres complètes, trad. franç., Paris, PUF, 1993, vol. X, p. 83-164.
HIRATA, H.; KERGOAT, D. "Rapports sociaux de sexe et psycopathologie du travail", *in* Dejours, C. *Plaisir et souffrance dans le travail,* Paris, AOCIP, 1988, t. II, p. 131-176.
KERGOAT, D. "Plaidoyer pour une sociologie des rapports sociaux", *Le sexe du travail*, Grenoble, PUG, 1984; *Les ouvrières*, Paris, Le Sycomore, 1982.
LAPLANCHE, J. "La psychanalyse comme anti-herméneutique", *Entre séduction et inspiration: l'homme*, Paris, PUF, 1999, p. 243-262.
MOLINIER, P. *Psychodynamique du travail et identité sexuelle*, thèse de psychologie, Paris, CNAM, 1995.
PHARO, P. *L'injustice et le mal*, Paris, L'Harmattan, 1996.

CAPÍTULO V

O ASSÉDIO MORAL NO TRABALHO: PRIVAÇÃO DA LIBERDADE

MARIE GRENIER-PEZÉ

MARIE GRENIER-PEZÉ é doutora em Psicologia, psicanalista, perita da Cour d'Appel de Versalhes.

Na periferia das grandes cidades em que trabalho, as patologias podem parecer caricaturais: assédio moral e distúrbios musculoesqueléticos fazem parte do dia a dia dos pacientes do atendimento especializado *Souffrance et Travail* (Sofrimento e Trabalho)[1].

O trabalho se impõe como um dado social que participa da construção ou desconstrução da saúde física e mental, exigindo a mobilização de especialistas para determinar a semiologia, a etiologia e os tratamentos.

O trabalho é tema de muitos discursos especializados. O jurista trata do contrato de trabalho, o diretor fixa os objetivos, a engenharia de manufatura define as diretrizes, o administrador gerencia as equipes, o fisiologista fala de biomecânica. O sujeito, no local de trabalho, ignora a Fisiologia e a Sociologia; ele tem apenas uma parte do conhecimento do engenheiro, ele registra as diretrizes. Mas, no fim, encontra-se sozinho diante do real. Ou seja, diante do que se revela por meio de uma resistência ao controle e a todos os discursos constituídos.

É por isso que, como psicanalista, limitar a minha escuta clínica ao corpo erótico dos pacientes através da história de sua infância enquanto o trabalho (sua regulamentação, organização, concepção ergonômica, seu custo, seus efeitos orgânicos e psíquicos) penetra intensamente no material clínico é uma postura irrealista e impossível de ser sustentada.

Paralelamente à riqueza clínica das pesquisas em saúde mental no trabalho, a noção de assédio (HIRIGOYEN, 1998) corre o risco de ocupar todo o horizonte conceitual, de maneira que as queixas dos trabalhadores tendem a ser enunciadas dessa única forma. A proliferação de associações, de atendimentos especializados, a promulgação de uma lei (janeiro de 2002) intensificam esse movimento. É raro, no histórico clínico, que os pacientes venham consultar maciçamente

1 Atendimento especializado *Souffrance et Travail*, Centre d'Accueil et de Soins Hospitaliers (CASH) de Nanterre.

tendo eles mesmos definido o seu diagnóstico, em virtude de uma nosografia assim promovida pelo discurso social.

A noção de assédio induz a dupla "perverso/vítima" e poderia, ao remeter apenas a uma causalidade psicológica, reunir um vasto conjunto em relação à recusa sobre as razões profundas do agravamento do sofrimento no trabalho; a queixa das vítimas que denunciam os atentados à dignidade e recorrem à reparação contribui para a "psicologização" do debate. Mas quais reparações podem ser esperadas para um emprego perdido ou pelo prejuízo à saúde mental e/ou física? Qual a reparação possível quando a dupla "perverso/vítima" se revela mais complexa que o previsto em sua construção e o relato do assediado traz à tona sua participação (passiva, na melhor das hipóteses) no assédio de outra pessoa antes do seu? Qual a reparação possível quando o próprio algoz denunciado se revela preso em uma trama de constrangimentos na qual ele também precisa lutar para defender sua saúde? Qual a reparação possível quando um coletivo de trabalho persegue obstinadamente um dos seus membros para não entrar em colapso?

Aliás, a definição legal, tanto na Lei de Modernização Social[2] quanto no Código Penal franceses, eliminou a intencionalidade em sua caracterização do assédio, que passa, no entanto, por condutas inadequadas repetidas tendo *como finalidade ou efeito* degradar a saúde física e mental, ferir os direitos, a dignidade e o futuro profissional de um trabalhador.

2 Art. L 122-49 do Código do Trabalho francês (Lei de Modernização Social modificada pela Lei nº 2003-6, de 3 de janeiro de 2003): "Nenhum trabalhador deve ser vítima de condutas inadequadas repetidas, de assédio moral, que tenham como finalidade ou consequência uma degradação das condições de trabalho suscetível de ferir os seus direitos e a sua dignidade, de alterar a sua saúde física ou mental ou comprometer o seu futuro profissional". Art. L 222-33 do Código Penal francês: "O fato de assediar o próximo por meio de condutas inadequadas repetidas que têm por finalidade ou consequência uma degradação das condições de trabalho suscetível de ferir os seus direitos e a sua dignidade, de alterar a sua saúde física ou mental, ou de comprometer o seu futuro profissional, é punido com um ano de prisão e € 15.000 de multa".

RETORNO AO GESTO DE TRABALHO E À DINÂMICA IDENTITÁRIA

Em contrapartida à contribuição que fazemos para a organização do trabalho, esperamos uma retribuição. Não simplesmente um salário, mas também reconhecimento. A psicodinâmica do trabalho destaca a importância desse eixo da análise clínica. O reconhecimento da qualidade do trabalho realizado é a resposta às expectativas subjetivas que carregamos. Quando obtemos esse reconhecimento, as dúvidas, as dificuldades, o cansaço desaparecem diante do sentimento de ter contribuído para a construção coletiva e de ver validado o lugar que se construiu entre os outros.

Embora estranha ao *corpus* teórico da psicanálise, a noção de reconhecimento é paralela à concepção freudiana de sublimação como atividade socialmente valorizada, como processo pulsional "que realiza uma espécie de modificação de meta e de objeto na qual entra em consideração nossa avaliação social".[3] No campo social, o trabalho é beneficiado, então, pelo poder extraordinário que a mobilização dos processos psíquicos inconscientes dá a ele.

Evidentemente, quando a escolha de uma profissão é coerente com as necessidades do sujeito e suas modalidades de exercício permitem o livre jogo do funcionamento mental e corporal, o trabalho ocupa um lugar central no equilíbrio psicossomático, pois a situação de trabalho age sobre a economia dos corpos em diversos níveis. Se a tarefa carrega um conteúdo simbólico, se o trabalho permite, apesar das limitações do real e da organização, um exercício inventivo dos corpos, ele se torna fonte de prazer e sublimação. Psiquismo e corpo trabalham juntos para uma produção valorizadora. Os gestos de trabalho podem, então, reduzir-se a encadeamentos biomecânicos eficazes e operatórios. Eles são "*atos de expressão da postura psíquica e*

3 FREUD, Sigmund. Suite aux Leçons d'introduction à la psychanalyse (1932). Citado por M.-P. Guiho-Bailly in "Identité sexuelle au travail", Education permanente. Comprendre le travail, 1993 (1), 116: 141-150.

social que o sujeito dirige ao próximo" (Dejours; Dessors; Molinier, 1994); eles participam da construção da identidade.

- O componente vem da família na construção da identidade, inicialmente, porque os gestos são transmitidos na infância, copiando-se os adultos amados e admirados. A criança adota os gestos, as posturas, a "destreza" dos adultos por *lealdade identificatória*, mobilizando mecanismos de defesa precoces e sólidos que vão ancorar o gesto na expressão corporal.
- Outra raiz gestual: a identidade social, visto que os gestos são socioculturalmente construídos. No Ocidente, crianças e cargas pesadas são carregadas flexionando-se os membros superiores, com o fechamento da cintura escapular, enquanto na África as mesmas tarefas são realizadas sobre a cabeça e as costas, envolvendo massas e dinamismos musculares diferentes. Mais especificamente, por meio do aprendizado, os gestos de trabalho estabelecem relações estreitas entre a atividade do corpo e o pertencimento a uma comunidade profissional.
- Última raiz: a identidade sexual. Porque embora os gestos tenham uma história familiar e social, eles também têm um sexo. A identidade sexual, a identidade de gênero devem ser traduzidas por atitudes, por posturas específicas. As injunções maternas para uma menina são desta ordem: manter os joelhos unidos, não afastar as pernas, não arquear demais o tronco. Para um menino, é o contrário. *A educação inscreve na musculatura posturas sexuadas específicas*. Uma mulher não se move como um homem, não trabalha como um homem; aliás, não tem o mesmo emprego que um homem.

A modelagem de um corpo será feita, assim, ao longo dos anos, traduzindo a identidade sexual, as escolhas existenciais, a flacidez muscular das derrotas e dos fracassos, a memória tecidual dos grandes acontecimentos, as marcas deixadas pelo trabalho.

Lembremos: agir sobre o gesto é agir sobre a identidade.

Em certas profissões, o gesto pode ser rico e mobilizar o corpo a serviço do sentido. O ator interpreta seu papel, o músico interpreta sua partitura, o trabalhador interpreta a tarefa prescrita. Algumas posturas e atitudes corporais conferem ao trabalho um valor de dramaturgia e permitem o escoamento das excitações; outras são executadas no "silêncio mental", na repressão de uma atividade psíquica pessoal, provocando estases energéticas perigosas. O trabalhador pode ser submetido a uma organização de trabalho que determina o conteúdo e os procedimentos da tarefa, que fixa até mesmo as modalidades das relações entre os sujeitos ao atribuir, a cada um, local e função em relação aos outros trabalhadores. Às vezes, o funcionamento cognitivo é reservado a uns e o funcionamento corporal, a outros. Nesse tipo de organização, o indivíduo é considerado um instrumento e utilizado por sua força motriz.

"O corpo envolvido no trabalho é um corpo instrumento cujo desempenho é atribuído ao peso, ao tamanho, à corpulência, à musculatura, à idade, isto é, um corpo reduzido a suas características físicas e fisiológicas"[4]. "O segundo corpo comprometido no trabalho é um corpo incerto, cujo estado de saúde, ritmo, limitações, variabilidade, impotências, cansaço, deficiências, doenças são conjugados com estados afetivos: dor, sofrimento, prazer, excitação, emoção, sentimento, desejo, erotismo. A organização do trabalho opõe ao segundo corpo uma desmentida enérgica. Ela valoriza a disciplinarização dos corpos, sua biodisponibilidade. O corpo é admitido apenas como reservatório de força, de poder. O corpo, na organização do trabalho, é um meio, não uma origem" (Dejours, 2000).

Compreenderemos melhor a perigosa eficácia do assédio moral, após esse longo desvio, por meio das questões psíquicas em jogo na situação de trabalho. Tratar dos gestos de trabalho

4 DEJOURS, Christophe. "Différence anatomique et reconnaissance du réel dans le travail", Les Cahiers du GENRE, numéro spécial, "Variations sur le corps", coordonné par Pascale Molinier et Marie Grenier-Pezé, Paris, L'Harmattan, 2000, 29.

é inevitavelmente constranger o corpo (*contraindre le corps*). Embora os gestos de trabalho sejam uma fonte fundamental de estabilização da economia psicossomática, tornar sua execução aleatória, paradoxal e desqualificante, dia após dia, tem efeitos traumáticos para a psique. No processo de assédio, a repetição, consciente ou inconsciente, das críticas, das humilhações, das culpabilizações e das prescrições paradoxais cria rapidamente um impasse no trabalho de elaboração mental e adquire um poder de efração psíquica. Por outro lado, a impossibilidade de pedir demissão, sob pena de perder seus direitos sociais, é uma barreira à fuga. A subordinação própria à definição jurídica do contrato de trabalho confina o trabalhador em uma toxicidade contextual quase experimental. A obstrução das vias de escoamento das excitações traumáticas leva ao colapso depressivo e à via somática mais ou menos a longo prazo.

Uma análise detalhada da situação de impasse descrita pelos pacientes traz à tona o *isolamento do sujeito*: isolamento de fato em um cargo sem equipe e sem coletivo de trabalho, onde a cooperação é ausente, *a fortiori*, a solidariedade.

A cooperação, que une um grupo de trabalho em torno de valores comuns, precisa de uma confrontação dos procedimentos particulares de execução da tarefa com base em uma confiança compartilhada. Essa possibilidade de confrontação das experiências pode ser gravemente perturbada por uma organização do trabalho centrada no rendimento e temerosa do desperdício de tempo ou por uma organização do trabalho muito coerciva e dessubjetivante.

O medo de perder o emprego neutraliza a mobilização coletiva, gera o silêncio e o "cada um por si", induz condutas de dominação/submissão. É necessário constatar que a manipulação da ameaça e da chantagem, bem como o assédio, é agora transformada em método de gerenciamento para levar ao erro e permitir a demissão por justa causa ou para desestabilizar e levar ao pedido de demissão.

Na psicodinâmica do trabalho, uma atenção particular é dada, certamente, aos mecanismos de defesa individuais, mas também às estratégias coletivas de defesa. Estas, destinadas a lutar contra o sofrimento no trabalho, são específicas de cada local e produzidas, estabilizadas e mantidas coletivamente. Trata-se principalmente de lutar contra o medo gerado pelo trabalho opondo a ele uma recusa coletiva de percepção. Na construção dessa recusa, a virilidade social desempenha um papel preponderante. A exaltação viril não oferece somente uma compensação narcisista, ela se torna, às vezes, uma verdadeira ideologia defensiva que, compartilhada por todos os membros de um coletivo de trabalho, veda a expressão do medo e, mais amplamente, do sofrimento no trabalho. Um líder de verdade deve, para ter êxito, conseguir ignorar o medo e o sofrimento, os seus e os do próximo. O cinismo se torna um equivalente de força de caráter. A tolerância ao sofrimento infligido ao próximo é transformada em valor positivo. O poder social é medido pela capacidade de exercer sobre os outros violências consideradas necessárias, que autorizam a utilização de práticas deletérias como método de gerenciamento para obter a rendição emocional de todos. *A criação dos assediadores está baseada, então, na internalização psíquica e corporal de técnicas sistematizadas*, permitindo aderir ao mundo do trabalho e se entender com os princípios de pertencimento ao grupo dominante que valorizam tenacidade, disciplina e provas corporais.

O ASSÉDIO MORAL OU A DISCIPLINARIZAÇÃO DOS CORPOS

Duas mulheres[5] estiveram na mesma poltrona do atendimento, com um mês de intervalo, encaminhadas por seu médico do trabalho. Elas trabalham na mesma empresa. Uma é operadora de telemarketing; a outra, diretora. Seus

5 Esse caso clínico foi publicado em M. Pezé, "Ils ne mouraient pas tous mais tous étaient frappés". *Journal de la consultation "Souffrance et Travail"*, 1997-2008, Pearson Education France, 2008.

caminhos se cruzaram violentamente em uma central de atendimento e uma alterou bruscamente a vida da outra. A organização do trabalho de uma cruzou o estilo de gerenciamento da outra.

Na mesma poltrona, ambas vão expressar o impacto das questões psicossomáticas e relacionais em jogo na situação de trabalho, ambas dirão que o sujeito vai para o trabalho com as suas particularidades e sua história. E que, por essa razão, o trabalho continua sendo trabalho identitário.

SOLANGE

Solange, cinquenta e dois anos, é encaminhada por seu médico do trabalho. Casada, dois filhos, começou a trabalhar com dezessete anos como secretária em uma grande empresa. Seu marido tem câncer e atualmente está em aposentadoria por invalidez.

Destacam-se na ficha individual de Solange as constantes modificações às quais foi submetida: 1970, recolocação; 1971, transferência de escritório; 1976, recolocação; 1977, transferência de escritório; 1978, transferência de escritório; 1980, modificação de cargo; 1982, transferência de escritório.

Ela teve seu cargo alterado em 1996 para ser colocada no atendimento ao cliente e foi afastada de casa, o que complicou consideravelmente uma vida sobrecarregada pelos cuidados com a doença de seu companheiro.

Ela vai permanecer um ano sem mesa, sem vestiário, em uma bancada com vinte pessoas. É a tendência dos *open-spaces*, do desaparecimento da mesa individual, e até mesmo, nos *open-spaces*, da ausência de lugar atribuído. Parece menos custoso financeiramente, mas é muito custoso psiquicamente. Como se reposicionar todos os dias, reinstalar suas ferramentas de trabalho em um espaço anônimo, dessubjetivado, sem fotografias, sem objetos pessoais, enquanto, para realizar o trabalho, a subjetividade será inevitavelmente convocada?

Diante do ambiente impessoal e sem solidariedade, diante da dificuldade para ter acesso às informações sobre o seu trabalho, Solange supera as dificuldades sozinha e diz *se blindar*; *não mais absorver o ambiente negativo e sem solidariedade*. Ela tem um bom médico que a auxilia com um tratamento para melhorar seu sono; ela encontra uma via de descarga no jogo da *pétanque*, que pratica, primeiro, para acompanhar seu marido doente e, depois, por prazer.

A partir de 1996, a paciente descreve repetidas mudanças na maneira de trabalhar, um agrupamento das equipes que acaba, na verdade, em uma diminuição do efetivo; as mudanças de procedimento se multiplicam, intensificam-se: todos os anos, todos os trimestres, todos os meses, às vezes toda semana. O grande número de informações a ser memorizado sobre os novos serviços, as últimas promoções, os novos procedimentos acarretam uma tensão psíquica considerável. A rapidez do surgimento e desaparecimento dos procedimentos obriga a manter o ritmo sem poder se apoiar em conhecimentos internalizados. Solange diz também que, em seguida, as normas de atendimento telefônico são impostas. Ela deve responder com fórmulas prontas, com um certo tom de voz, com inflexões forçadas que supostamente reconstituem uma naturalidade comercial estratégica. O constrangimento dessa organização do trabalho é, então, ao mesmo tempo corporal, emocional, ético, e obriga a vestir uma armadura que vai de encontro ao comportamento espontâneo.

Solange apresenta então os transtornos cognitivos habituais desses trabalhos por turno: perda de memória, dificuldade de concentração.

Em um primeiro momento, havia sido nomeado um "padrinho" para lhe ensinar o trabalho que, diz ela, "*não [lhe] passava nenhuma informação por medo de perder sua superioridade [sobre ela], em um clima de rivalidade inacreditável*". Os mesmos padrinhos são rebatizados de "*supercoachs*". O clima e o ritmo de trabalho se intensificam. A paciente está em seu posto com fones de ouvido, tão próxima do trabalhador ao lado que precisa falar mais alto para cobrir a sua voz, o que, em contrapartida, eleva o nível sonoro de todos.

Diante dela é colocado um painel com um sinal vermelho assinalando que, enquanto responde a um cliente, outro está em espera. O *supercoach* passa atrás para acelerar o ritmo de resposta, frequentemente em detrimento da complexidade das situações individuais. A situação de injunção paradoxal é crucial: responder ao cliente na linha e deixá-lo satisfeito, mas responder também ao cliente em espera. É o *supercoach* quem decide o momento em que as necessidades fisiológicas poderão ser satisfeitas. A personalização do ambiente imediato, presente em outras empresas (fotografias das crianças, flores, objetos pessoais...), é impossível ali. É questão de se ter um local de trabalho.

O monitoramento constante pelos *supercoachs*, a exposição sistemática ao erro ligada à intensificação do trabalho, o clima persecutório que a frequência das mudanças de procedimentos gera se tornam alavancas traumáticas poderosas e lembram um assédio organizacional.

A sobrecarga de trabalho, as restrições cognitivas, a ausência de solidariedade, a dessubjetivação do cargo vão provocar em Solange uma descompensação na esfera ginecológica e, após muitos meses de metrorragias, a paciente sofre uma histerectomia ampliada em abril de 2001. Ao avisar seus superiores sobre sua licença, perguntam-lhe se é um tumor. Ela fica de licença por três meses e relata ter voltado ao trabalho em bom estado de saúde.

Em seu retorno ao trabalho, enquanto tenta se instalar em sua mesa, encontra Sra. T., a nova diretora do local. Sra. T. informa Solange que, após uma nova reorganização da bancada, ela não tem mais sua mesa. Solange fica surpresa que, ao retornar de uma licença-saúde, não tenha o seu lugar, e pede para, pelo menos, pegar os seus documentos profissionais e seus objetos pessoais. Ela ouve a seguinte resposta da Sra. T.:

– Joguei tudo fora porque nada era importante! Quanto ao que estava na gaveta pessoal, joguei no lixo.

– Mesmo os meus lápis, a minha xícara de café?

– Sim!

É uma situação de alienação social inexplicável que Solange vive. Ela não tem mais mesa, livraram-se de seus objetos pessoais, seu desaparecimento é posto em cena. Ela se instala em uma mesa adjacente, não sem lhe advertirem que terá que sair dela no dia seguinte devido ao retorno de seu ocupante. Ela faz uma atualização dos procedimentos em sua mesa provisória para, segundo suas palavras, "*se readaptar*". É, então, atingida por zumbidos, uma tensão intracraniana dolorosa, sinais de uma grande crise hipertensiva. Solange desmaia. O médico do SAMU, chamado de emergência, diagnosticará uma hipertensão arterial acima de 22. A paciente passou muito perto de um acidente vascular cerebral em seu local de trabalho.

Solange, atendida na nossa rede pluridisciplinar, verá a sua crise hipertensiva ser reconsiderada para acidente de trabalho e será beneficiada com uma licença para tratamento de saúde, evitando uma aposentadoria antecipada.

SRA. T.

Sra. T. se apresenta ao atendimento um mês depois. Ela viu Solange desmaiar e, na agitação do atendimento de urgência pela equipe do SAMU, assistiu ao "*technicage*"[6] de sua subordinada, a sua ida para o hospital. A cena parece ter assumido um valor traumático devido ao risco de vida que ela corria. Sra. T., desde então, tem crises de ansiedade todos os dias, dorme mal, questiona-se. É o mesmo médico do trabalho que a encaminha para mim.

6 N.T.: Expressão empregada em francês para designar os gestos de primeiro atendimento em casos de urgência: ECG, pressão arterial, etc.

Sra. T. conta o seu percurso, como Solange. Ela é formada pela École Polytechnique Féminine. Ao longo de sua carreira, ocupou cargos sucessivos cada vez mais complexos.

A partir de 1990, as ameaças de demissão se tornam mais frequentes, a organização do trabalho se radicaliza. De "*trabalhamos pela pátria*" passa-se a "*vamos trabalhar no estilo japonês*". Suas horas de trabalho aumentam, ela precisa se deslocar muito. Ela agora cuida sozinha de contratos firmados anteriormente em dois. Em breve, precisará gerenciar dois contratos ao mesmo tempo. Nunca pode escolher o contrato: cabe a ela aquele que os homens não quiseram. Contentar-se com isso é o que lhe resta.

Única mulher nesse coletivo de homens, ela ouve os gestores do seu ambiente dizerem: "*É porque você transou com o chefe que progride tão rápido!*".

Quanto maiores as suas equipes, mais exigem que ela se afirme, que tenha um perfil de autoridade. "*Na empresa, consideram o estresse um estimulante. É veementemente aconselhado a cada gestor que o provoque a fim de obter melhores resultados*". Seu chefe direto a inicia nas práticas gerenciais: "*Vamos dar alguém para você e você irá praticar nele. Você é protegida pela hierarquia*". Afirmar-se sobre alguém consiste em "*colocar pressão*" em um inferior hierárquico, dar-lhe objetivos impraticáveis, sem meios e em pouco tempo, e dizer que é um desafio. Colocar pressão, também, quando as pessoas voltam de férias. Afirmar sua autoridade sobre outros passa por este tipo de relação enérgica, enquanto o seu conceito da autoridade, como mulher, passa "*pela relação*", especifica a paciente, "*pela cooperação, pela consideração do outro, de suas competências profissionais*".

A nova organização do trabalho parece ter transformado profundamente as relações nas equipes e radicalizado os sistemas de defesa instaurados para "resistir". Os homens encontram certamente as mesmas dificuldades que a Sra. T. em termos de restrição de tempo, de trabalho feito sem os meios adequados. Entretanto, parecem suportar esses paradoxos ao aderirem a uma ideologia defensiva profissional baseada no cinismo viril.

Além disso, uma técnica de interrogatório do trabalhador é introduzida como método específico de gerenciamento. Praticada a dois, remete aos métodos de desestabilização do interrogatório policial: nível verbal elevado e ameaçador, rajadas de perguntas sem possibilidade de resposta, clima de acusação sistemática, saídas falsas, duração prolongada da entrevista, porta aberta para o resto do escritório. Trata-se de obter a rendição emocional do trabalhador e de todos os que escutaram. O exercício autorizado da agressividade é valorizador para os homens e une o coletivo de trabalho.

Para a Sra. T., as questões em jogo se tornam complexas. Ela deve se alinhar à agressividade ambiente conservando, ao mesmo tempo, seu *savoir-faire* feminino. É a ela que são confiadas as mediações difíceis, pois nelas mobiliza suas qualidades relacionais de antecipação, de mediação, de empatia. Seu diretor pede para que atenda os clientes homens estrangeiros, especificando sarcasticamente que a escolheu para colocá-la em situação delicada com esses homens. Na verdade, esses clientes se dizem muito honrados em trabalhar com uma mulher ocidental.

A solidão da Sra. T. se torna muito grande. Ela não conta nada sobre suas dificuldades para seu marido nem para sua família. Seu salário é necessário para compensar os empréstimos, para pagar a guarda dos filhos. No trabalho, nada pode ser filtrado. Ela chora no banheiro quando não resiste mais. Ela quer trabalhar, progredir, alcançar mais responsabilidades. Está pesando apenas quarenta e cinco quilos. Seu desgaste físico e mental aumentou sem que percebesse. De qualquer maneira, o cansaço é inadmissível no trabalho. Verbalizá-lo publicamente implica afirmar-se, fazer uma escolha, renunciar: ao trabalho ou aos filhos.

Ela não é mais informada das reuniões. Contrariamente aos outros gestores, não tem mais um computador próprio, trabalha no lugar de uma outra pessoa. É colocada em invisibilidade, excluída por um claro boicote secreto. Única mulher em um coletivo de homens, não pode compartilhar sua feminilidade. Ela veste apenas calças, não usa mais joias, seu corte de cabelo se torna neutro. *"Eu não suportava mais os comentários obscenos sobre as minhas pernas, meus cabelos, minha feminilidade! Apaguei, apaguei, apaguei..."*.

Os membros da equipe, entretanto, dirigem-se sempre a ela quando surge uma dificuldade. A Sra. T. precisa então gerenciar psiquicamente essa contradição: suportar imagens de vulvas em *close-up* nos protetores de tela de seus colegas *e* continuar a ser sua mediadora compreensiva.

Paralelamente, o regulamento da empresa estipula que ali não seja praticada nenhuma discriminação em relação aos empregados, seja por sua raça, religião, suas opiniões políticas ou seu sexo, e se compromete a tratá-los com dignidade.

A hipervigilância, o superinvestimento da qualidade do seu trabalho fazem a Sra. T. oscilar em um ativismo defensivo. Ela não deixa mais tempo para almoçar, volta para casa cada vez mais tarde para poder concluir seu trabalho. Todos os fins de semana, deita-se com dor de cabeça ou de estômago. Ela não tem mais tempo nem energia para cuidar de seus filhos. O medo não a abandona mais. De dia, revê continuamente as cenas de críticas sexistas; à noite, tem pesadelos intrusivos que a despertam coberta de suor. Logo não consegue mais dormir. Vemo-nos no centro da especificidade do quadro clínico ligado ao assédio moral, intitulado, de acordo com as escolas, neurose traumática ou transtorno de estresse pós-traumático (TEPT), cuja semiologia está bem descrita.

Uma amenorreia se instala. Única mulher em um coletivo de homens, Sra. T. se dessexualiza. Vemos como a organização do trabalho, por exigir defesas adaptativas, pode alavancar a organização mental do sujeito até em sua construção erótica. O episódio de descompensação não irá durar, conta Sra. T.: *"Eu não tinha escolha, eu me adaptei"*. Para ter uma chance de encontrar condições propícias ao reconhecimento de suas qualidades profissionais e sua realização no trabalho, Sra. T. decide entrar em acordo com a economia erótica dos seus colegas homens. Ela acaba se tornando mais dura. "*Deixei o meu sofrimento de lado, e o dos outros também. Apliquei o gerenciamento que me pediam para aplicar. E ao pé da letra*".

A Sra. T. me diz, soluçando, que vestiu a armadura de guerra, que ela mesma acabou por fazer uma contribuição quase entusiasta para o funcionamento da estratégia viril. Ela progrediu rapidamente, encarregada de cargos cada vez mais importantes, até a direção da central onde trabalhava Solange. Na central de atendimento, ela vinha verificar o comprometimento de suas tropas. De olho em tudo e em todos. As fichas, os lápis e a xícara de Solange, francamente, eram as últimas coisas que poderiam preocupá-la.

O risco de vida que Solange correu, sob seus olhos, acabou por pulverizar a construção defensiva social. O sofrimento surgiu, imperioso, necessitando um atendimento psicoterápico a fim de renegociar o itinerário identitário pessoal e o estatuto social.

CONCLUSÃO

Declarado como em vias de extinção há alguns anos, o trabalho continua a nos confrontar com a resistência do real, o campo social e com essa parcela pessoal que tentamos fazer ser reconhecida nele. Entre as paredes do serviço de atendimento especializado *Souffrance et Travail*, o encontro entre o sujeito e a organização do trabalho não é uma imagem. Os relatos de trabalho descritos têm uma lógica, modos de funcionamento precisos, uma tenacidade dos quais a noção de assédio moral não dá conta. Uma lógica que exige um comprometimento total que implica, às vezes, renunciar a todo o resto. Esse resto pode ser, também, a conclusão da construção do corpo erótico. O trabalho de bissexualização psíquica, o encontro com o outro podem chegar a um impasse em benefício de uma identidade sexual superficial, socialmente construída, nunca definitivamente adquirida, pois é revestida externamente, substituindo identificações internas[7]. O sistema consciente ali construído se edifica em detrimento do sistema pré-consciente em um circuito fechado de determinismos que frequentemente deixa pouco espaço para as reorganizações psíquicas individuais.

Exceto ao ficarmos frente a frente com a morte.

REFERÊNCIAS

DAVEZIES, Philippe. "Éléments de psychodynamique du travail", Éducation permanente, 1993, 116: 33-47.

DEJOURS, Christophe. "Doctrine et théorie en psychosomatique", *Revue française de psychosomatique*, 1995, 7: 59-80; *Travail, usure mentale,* Paris, Bayard, 4e éd., 2005; *Souffrance en France,* Paris, Seuil, 1999; "Différence anatomique et reconnaissance du réel dans le travail", *Les Cahiers du GENRE*, numéro spécial: "Variations sur le corps", coordonné par Pascale Molinier et Marie Grenier-Pezé, Paris, L'Harmattan, 2000, 29: 101-129.

DEJOURS, Christophe; DESSORS, Dominique; MOLINIER, Pascale. "Comprendre la résistance au changement", *Documents pour le médecin du travail,* INRS, 1994, 58: 112-117.

GRENIER-PEZÉ, Marie. "Corps érotique et corps au travail: les hommes de métier", *Travailler*, 1999, 1: 79-102; "Contrainte par corps: le harcèlement moral", *Travail, genre et société*, dossier "Harcèlement et violence, les maux du travail", Paris, L'Harmattan, 2001, 5: 29-42; "Forclusion du féminin dans l'organisation du travail: un harcèlement de genre", *Les Cahiers du GENRE*, dossier "Variations sur le corps", Paris, L'Harmattan, 2002, 29: 37-52.

7 PEZÉ, Marie. *Le deuxième corps*, Paris, La Dispute, 2002.

GRENIER-PEZÉ, Marie; DE GASPARO, Claudia. "Étude d'une cohorte clinique de patients harcelés: une approche sociologique quantitative", Documents pour le médecin du travail, INRS, 2003, 95.

HIRIGOYEN, Marie-France. *Le harcèlement moral*, Paris, Syros, 1998.

MAUSS, Marcel. "Les techniques du corps", *Sociologie et anthropologie*, Paris, PUF, 1936, 365-388.

PEZÉ, Marie. *Le deuxième corps*, Paris, La Dispute, 2002; "Le geste de travail, entre usure et sublimation", *Revue française de psychosomatique*, "La fatigue", Paris, PUF, 2004, 24; *Ils ne mouraient pas tous mais tous étaient frappés. Journal de la consultation "Souffrance et Travail" 1997-2008*, Pearson Education France, 2008.

CAPÍTULO VI

NOVAS FORMAS DE SERVIDÃO E SUICÍDIO

CHRISTOPHE DEJOURS

CHRISTOPHE DEJOURS exerceu a psiquiatria em meio hospitalar, é psicanalista e professor titular da cátedra Psicanálise-Saúde-Trabalho, no Conservatoire National des Arts et Métiers.

Suicídios no local de trabalho já aconteciam no passado, mas pertenciam exclusivamente ao mundo agrícola, onde o local de residência e de trabalho eram indistintos. Foi somente há alguns anos, a partir de 1995, parece, que aconteceram os primeiros suicídios nos locais de trabalho nos setores industrial, terciário e de serviços. Não é possível fazer uma avaliação quantitativa dessas mortes porque, até o momento, as pesquisas estatísticas sobre o suicídio ignoravam sistematicamente a psicopatologia ligada ao trabalho. A única pesquisa quantitativa que conhecemos é a inspeção médica do trabalho da Baixa Normandia. Em 2003, Maryvonne Gournay, Françoise Lanièce e Isabelle Kryvenac realizaram um estudo junto a médicos do trabalho. Em cinco anos, foram recenseadas quarenta e três mortes e dezesseis pessoas com deficiências graves em consequência de tentativas de suicídio (Calvados, Orne e Manche); isto é, cinquenta e nove dos cento e sete casos de suicídio e tentativa de suicídio relatados. Portanto, uma média de doze casos por ano. O que significaria dizer que se poderia esperar, em uma pesquisa nacional, encontrar entre trezentos e quatrocentos casos por ano!

O fato é que se sabe muito pouco sobre as circunstâncias desses dramas. As pesquisas são extremamente difíceis porque, passado o momento de emoção que acompanha o acontecimento, todos se tornam reticentes em falar sobre ele. É como uma conspiração do silêncio que se abate sobre a comunidade de trabalho, tanto por parte da direção quanto dos colegas, dos superiores hierárquicos imediatos e dos sindicatos. A maioria das investigações iniciadas pelo nosso laboratório a pedido do Comitê de Higiene, de Segurança e das Condições de Trabalho (CHSCT) foi interrompida porque os voluntários desistiam em seguida. Algumas pesquisas puderam ser realizadas (Pascale Molinier et al., 1999; Anne Frotas et al., 2002), mas as negociações sobre a natureza da investigação a ser feita e sobre o tempo de preparação geralmente resultam em um estudo que não elucida o próprio suicídio. O meio-termo adotado, no fim das contas, consiste em solicitar uma pesquisa sobre as relações entre organização do trabalho e saúde. A globalização do objeto de investigação afasta consideravelmente da clínica específica do suicídio *stricto sensu.*

Para ter acesso à etiologia de um suicídio no trabalho é preciso, necessariamente, como em qualquer situação psicopatológica, adentrar no que foi a intimidade do falecido. É necessário, então, passar pelas pessoas mais próximas e pela família. Porém, na medida em que se trata de um suicídio no trabalho, é preciso também coletar dados sobre as relações interpessoais e as relações sociais de trabalho. Compreende-se facilmente que as informações sobre a intimidade do falecido ou da falecida, coletadas em seu círculo de convivência, levantam, além disso, problemas deontológicos espinhosos.

Parece-me que, para se ter a possibilidade de reconstituir a etiologia de um suicídio no trabalho, é necessário, de antemão, uma teoria do suicídio, por um lado, e uma teoria das relações dentro e fora do trabalho, por outro. O suicídio é um desafio para qualquer classificação nosológica. Porém, no caso do suicídio no trabalho, trata-se com mais frequência de uma crise na evolução de uma depressão. A análise mais aprofundada da psicodinâmica do suicídio nesse contexto mostraria, se fosse possível desenvolver aqui, que ela passa por um movimento de ódio contra si que vai até a morte.

De fato, examinando-se mais de perto, há em qualquer suicídio no trabalho uma descompensação psicopatológica. E quando se consegue conhecer detalhadamente as circunstâncias da passagem ao ato, descobre-se, além deste, via de regra, uma configuração psicopatológica muito pessoal. Isso é, em geral, suficiente para que os comentaristas e muitos especialistas, aliás, concluam que o suicídio depende de uma causalidade psíquica na qual o trabalho tem apenas um papel contingente.

Todavia, os suicídios que examinamos aqui são cometidos nos próprios locais de trabalho, o que não é um mero detalhe. O suicídio, assim como qualquer conduta humana, é dirigido a outra pessoa. O técnico, ao se enforcar na oficina da fábrica;

o engenheiro, ao se defenestrar em seu local de trabalho; a supervisora, ao se dar um tiro na cabeça no hospital onde trabalha; ou o operário da Volkswagen, ao se matar na fábrica em frente aos seus colegas; todos dirigem ostensivamente uma mensagem. E esta é, às vezes, explícita quando figura em uma carta deixada, intencionalmente, pelo falecido.

Antigamente, não havia suicídio nos locais de trabalho. O que significa então essa nova expressão dramatúrgica surgida recentemente? O trabalho não tinha nenhuma relação com os suicídios do passado? É pouco provável, embora a hipótese não possa ser descartada sem argumentação precisa. Em contrapartida, é provável que os suicídios nos locais de trabalho, na medida em que não se pode, a seu respeito, falar de "epidemia" nem de "fenômeno de contágio", como foi frequentemente o caso com os sintomas histéricos, traduzem, muitas vezes, o surgimento de um tipo inteiramente novo de sofrimento no trabalho.

Por meio da sua morte, esses desafortunados convocam hoje toda a sociedade a se debruçar sobre esse novo tipo de sofrimento que ela gera. Do ponto de vista do profissional, como também de qualquer pessoa sensata, o suicídio é, sem dúvida, o questionamento mais radical que se possa imaginar da relação com o outro. Esses suicídios indicam certamente uma desestruturação das relações sociais no trabalho. Mesmo que esses suicídios fossem pouco numerosos, ainda assim indicariam, pelo simples fato de ocorrerem, uma evolução deletéria que afeta todos os que trabalham, e não apenas os mortos (Dejours; Bègue, 2009).

Ousemos um pouco mais: se um suicídio acontece, ele indica certamente a solidão psicológica atroz na qual se encontrava o suicida; solidão psicológica que é, antes de tudo, uma solidão afetiva, eu destaco, porque esses suicídios ocorrem em uma comunidade de trabalho que, provavelmente, tem comunidade apenas no nome. Muito provavelmente, trata-se de um agrupamento de pessoas para o trabalho de produção, mas esse agrupamento não tem, ou deixou de ter, depositário afetivo. Solidão afetiva em meio à multidão é, provavelmente, o primeiro significado que é preciso decifrar no suicídio nos locais de trabalho. E isso indica uma outra pista. Se aquele ou aquela que se suicidou estava efetivamente só em meio à multidão, o que dizer da natureza e da qualidade das relações entre esses outros homens e mulheres que formavam a multidão no trabalho?

A resposta não se presta a nenhum equívoco. Porque, contrariamente ao que se poderia esperar, há inúmeros casos em que os suicídios são cometidos por empregados que de modo algum estavam isolados da coletividade. Alguns deles são até mesmo vistos como pessoas particularmente bem adaptadas ao seu trabalho e ambiente profissional. Portanto, é possível, hoje, estar perfeitamente adaptado, integrado e ser eficaz em seu trabalho e, no entanto, estar em uma solidão afetiva que se torna insuportável.

É preciso reconhecer, de fato, que os suicídios nos locais de trabalho revelam uma degradação profunda da convivência e da solidariedade que não pode ser banalizada. Nesse contexto inquietante, alguns autores continuam indiferentes e fingem que o surgimento desses suicídios em grande quantidade nos últimos anos não é um fato.

A presente contribuição para a investigação desse enorme problema psicopatológico será modesta: ela está baseada no estudo de um caso. Isso é pouco, mas é preciso dar o pontapé inicial, esperando-se, contudo, que este precedente servirá de base para outras pesquisas clínicas. Esforcei-me, nesta análise, para não dissimular nem minimizar as zonas obscuras e os possíveis conflitos de interpretação, pois essa clínica é realmente complexa. A análise se apoia em dados coletados após o drama. Porém, o *après-coup* não constitui para o profissional um obstáculo intransponível, pelo contrário. O mesmo ocorre com o historiador e o juiz. O *après-coup*, mesmo após a morte do principal ator, não impede a aproximação da verdade, mesmo que haja uma parte de conjectura na análise. Uma única dificuldade suplementar com relação às outras disciplinas vem aqui obstruir o trabalho: trata-se das obrigações deontológicas que me impedem de relatar tudo o que me foi confiado e revelado, em parte, sob condição de manter sigilo.

A HISTÓRIA DO SUICÍDIO

Sra. V. B. é uma mulher de quarenta e três anos. Ela é executiva em uma empresa *high-tech*, matemática de formação com pós-graduação em informática. Adorava os estudos, devorava os livros, fazia vários cursos. É admitida em uma empresa onde imediatamente é valorizada e trabalha na concepção de ferramentas informatizadas. Em seguida, passa a trabalhar no setor de estatísticas. Paralelamente ao seu trabalho, faz um curso no *Institut d'Administration des Entreprises* (IAE); depois, atua no setor de recursos humanos de uma multinacional onde, bilíngue, faz uma carreira brilhante. Várias vezes é contatada por caçadores de talentos para outros empregos mais atraentes, que recusa para não se afastar da família (é casada e tem três filhos). Seu trabalho na empresa é diversificado. Ela conclui sucessivamente várias missões importantes, que lhe valem calorosas congratulações. Em 1997, assume a responsabilidade pelo setor de treinamento da empresa. Seu salário é entre quatro mil e quinhentos e cinco mil euros por mês (em 2002).

Em 1999, seu marido e ela decidem adotar uma criança. As responsabilidades familiares são pesadas e ela pede para trabalhar em tempo parcial (julho de 2000). Não podem recusar seu pedido, mas ele não é bem visto. Oito meses mais tarde, em fevereiro de 2001, ela trabalha em tempo parcial fazendo oitenta por cento da carga horária normal, que manterá até setembro de 2002. Nesse intervalo, seu superior hierárquico é demitido em decorrência de um conflito de rivalidade com um de seus colegas. É este quem permanece na empresa e herda o cargo. Ele parece querer, ao chegar a esse cargo, afastar as pessoas que mantinham boas relações com seu rival. A Sra. V. B. fazia parte desse grupo. Os outros deveriam ir embora ou aceitar uma transferência.

A partir do final de 2001, as responsabilidades da Sra. V. B. são retiradas. Ela deve, agora, submeter seu trabalho ao gerente de recursos humanos, de nível hierárquico igual ao seu. No organograma seguinte, deve submeter seu trabalho a um líder de equipe de nível hierárquico muito inferior ao seu. Atribuem-lhe, então, uma missão muito abaixo das suas competências, normalmente confiada a uma secretária. Ela é vítima de diversos pequenos trotes: pede-se, com urgência, que faça um dossiê. Ela trabalha nisso dia e noite e este é posto de lado sem sequer ser examinado. Convocam-na para uma reunião com hora marcada; fazem-na esperar uma hora e então lhe anunciam que a reunião foi adiada. E isso repetidas vezes. Em alguns meses, ela é rebaixada de função: ocupando até então o nível N – 1 em relação ao diretor de Recursos Humanos, ou seja, N – 2 em relação ao diretor executivo, passa a ficar sob a direção do seu colega de mesmo nível e se torna, assim, N – 3 em relação ao diretor executivo. É rebaixada de função mais uma vez e colocada sob a direção de um líder de equipe, o que a deixa em posição N – 4 em relação ao diretor executivo.

Compreendendo não ter mais futuro nesse setor, ela procura saídas: um curso na ESSEC (Escola Superior de Ciências Econômicas e Comerciais, em francês) que, pouco tempo atrás, havia-lhe sido recomendado calorosamente para poder aceder a responsabilidades ainda maiores que quando estava em seu nível mais alto na empresa. Ela segue esse curso quase até o fim. Porém, estando desvalorizada pela empresa, dois dias antes de ir para o último módulo, quando as passagens e as reservas de hotel estavam adquiridas, sua viagem é vetada, o que a impede de validar o seu diploma e mina todos os esforços realizados (setembro de 2002).

Ela pede transferência para outro setor. É obrigada, então, a passar por testes de contratação reservados aos novatos e aos candidatos externos. Nesse ambiente, esse tratamento peculiar que lhe é imposto é ostensivamente humilhante, senão difamante. No entanto, ela se submete a isso sem protestar.

Não contra-ataca, não se queixa, mas fica deprimida. A ponto de ser obrigada, em 2002, a tirar uma licença-saúde, durante a qual recebe tratamento psiquiátrico ambulatorial.

No início de janeiro de 2003, retorna ao trabalho. Seu chefe a aconselha a pedir uma prorrogação de sua licença, pois não tem nenhuma tarefa para ela, que retorna quinze dias depois. Atribuem-lhe novamente a missão subalterna de secretariado que já havia assumido. Missão, é preciso salientar, que não tinha servido para nada e a respeito da qual a empresa nada fez. Oito dias depois (janeiro de 2003), suicida-se, jogando-se de cima de uma ponte situada próxima à empresa.

Ela deixa uma carta pedindo à representante da comissão dos trabalhadores para torná-la pública após sua morte.

Eis a carta:

Se me suicido hoje é porque, como frequentemente expressei a várias pessoas que poderão comprovar isso, não posso suportar a ideia de reintegrar o meu cargo nas condições propostas, isto é, exatamente as mesmas que causaram minha destruição e das quais sou vítima desde janeiro de 2002: indiferença, falta de respeito, humilhação (pública), sofrimento moral, nenhum reconhecimento profissional.

Pago caro demais pelo meu tempo parcial (usado, entre outras coisas, e sobretudo, para cuidar das crianças em Lenval), pela minha sensibilidade, pelo apego aos meus valores humanistas e ao respeito ao outro, não importando quem seja (mesmo um gerente de projetos ou um membro da comissão dos trabalhadores que se opõe à direção), pela minha recusa em ser um "bom soldado" (sou pacifista), pela minha recusa em ser tratada com brutalidade (sim, tenho sentimentos).

Certamente, falta-me ambição profissional, vontade de "fazer carreira", não procuro ser o chefe no lugar do chefe, tenho outras "coisas" em minha vida que equilibram meu investimento no trabalho. Mas vocês sabem o quanto meu trabalho conta para mim (abreviei minha licença-adoção); faz um mês que tento voltar, sem sucesso. Mas através desse trabalho, sobretudo no RH, quero aliviar o "sofrimento humano" e não criá-lo, preciso ser útil à empresa e não trabalhar em projetos que nunca se realizam por causa da constante mudança de decisão dos "chefes".

Não aceito dos meus chefes a falta de inteligência profissional. No que se baseia o julgamento? Nos resultados e nas competências, ou no fato de ir com a cara da pessoa e nas frases mal-entendidas?

Fazem-me esperar quinze dias para ter tempo de se "reorganizar" e, após esses quinze dias, propõem-me (impõem-me, pois não tive escolha) exatamente o mesmo cargo que tinha antes, com uma prioridade: terminar os *job-descriptions*, quando se sabe muito bem que nunca serão terminados! Colocam-me mais uma vez no mesmo contexto, com as mesmas armadilhas, enquanto me faziam sentir que não estavam "contentes" com meus resultados: "não é o que se espera de um chefe".

1) Basta que me deem tarefas condizentes com o que se espera de mim.

2) Não sou chefe nem nas responsabilidades que me são atribuídas, nem no reconhecimento do meu valor, nem na posição em que me colocam (ver o organograma!).

Querem me fazer fracassar? Ou é uma falta de inteligência imperdoável a esse nível (de salário!!!)?

A falta de inteligência humana: deve-se necessariamente ser "brutal" para que a empresa funcione melhor? Para ser respeitado, reconhecido pelo RH? Por que essa falta de respeito? Por que humilhar? Por que submeter a testes após dez anos de casa? Para constatar as competências?!?! E o que foi feito desses testes? (i.e.: "Você não escuta nada, só faz o que dá na cabeça."). Quando não conheço ninguém mais dócil que eu. "Por que não pediu redução da jornada de trabalho como todo mundo?". Com certeza pedi. "Você é muito sensível, não é isso o que se espera de um chefe". Felizmente existem chefes sensíveis!

Não deve haver sentimento no trabalho. Não sou uma máquina, e X, quando chora, não é sentimento?

Por que nunca se pede desculpas quando se fere alguém e a pessoa que feriu tem consciência do que fez?

Então digo não, não retornarei. Alguns aceitam a humilhação, alguns se submetem, alguns fogem para outros setores, o ambiente de trabalho está cheio de frustração (honestamente, quem, no RH, não procura outro emprego?). Para mim acabou, porque não acredito que uma melhora seja possível. Gosto demais dos meus colegas e do meu trabalho para aceitar essas condições.

Sinto muito fazer esse gesto para os meus filhos, mas não vou impor-lhes uma mãe frustrada, humilhada.

Não é por acaso que faço esse gesto aqui, diante de Amadeus...

ELEMENTOS COLETADOS SOBRE A PERSONALIDADE DA SRA. V. B.

Segundo os elementos coletados junto ao círculo de convivência da Sra. V. B., tratava-se de uma mulher de inteligência notável, considerada por todos como acima da média. Era até mesmo considerada superdotada. Essa inteligência brilhante é acompanhada por uma energia excepcional, de uma capacidade de trabalho fora do comum. Quando empreende um projeto, ela o conclui com força total. Qualquer missão é sempre um sucesso. Adapta-se perfeitamente ao seu meio profissional, onde não somente desempenha um papel de líder, como também é tida como uma pessoa de confiança. Ela é vista, tanto por seus colegas como por seu círculo de convivência e amigos, como uma pessoa de personalidade extremamente sólida e estável, muito disponível e, além disso, generosa. Confia-se nela naturalmente, pedem-lhe conselhos. Sua postura em relação aos outros foge dos padrões habituais. Isso porque a Sra. V. B. tem fortes raízes em uma tradição cristã de ajuda mútua e solidariedade. Além de seu trabalho, visita incansavelmente doentes nos hospitais e dá assistência a presidiários.

A família é também, para ela, um polo fundamental na organização de sua vida. Casada com um homem que compartilha os mesmos valores e princípios, ela tem três filhas: a mais velha tem vinte e dois anos; a do meio, vinte anos; e a caçula, dezesseis anos. Todas vão bem e têm bom desempenho nos estudos. Em 1999, adota uma criança com então nove anos e meio, que terá treze anos quando a Sra. V. B. põe fim a sua vida. Destaco que ela era muito ligada a todos os membros de sua família. Se havia dificuldades, não se tratava de conflitos de uns com os outros no ambiente doméstico. E se conflito havia, era apenas, situado novamente *après coup*, um conflito consigo mesma, criticando-se por não conseguir superar suas preocupações, infligindo, assim, aos seus familiares o peso do seu próprio sofrimento.

Sra. V. B. era tão firme em seus compromissos e na palavra empenhada que isso beirava a inflexibilidade. Ela podia, assim, ficar obstinada e se recusar a ceder nas situações desfavoráveis. Em geral, acabava vencendo as dificuldades. Enquanto alguns em sua empresa, conhecendo as condições que lhe eram impostas, aconselhavam-na a jogar a toalha e ir embora, ela se recusava a fazê-lo. Esse conselho lhe era dado devido à injustiça flagrante, e não em razão de sinais externos de sofrimento que poderiam ter sido preocupantes. Por isso, as pessoas próximas, entre os colegas de trabalho, ficaram perplexas ao saber do suicídio, pois todos pensavam que a Sra. V. B. era a força e estabilidade psicológica em pessoa. Ela não queria abandonar o barco para evitar que práticas criticáveis em matéria de recursos humanos se desenvolvessem, e às quais, em certa medida, teria aberto um precedente ao se submeter e se demitir. No entanto, ela havia começado a prospectar outros empregos e, aliás, havia sido selecionada para um cargo de alta responsabilidade em outra empresa; mas, no fim das contas, não havia aceitado a proposta, recusando-se a ceder a trotes e humilhações.

Os elementos que exponho aqui foram coletados junto ao marido, à melhor amiga, às pessoas que trabalham na mesma empresa e a vários médicos que conheceram e trataram a Sra. V. B.

A EMPRESA E O GERENCIAMENTO

A Sra. V. B. trabalhava na empresa há dez anos e a conhecia desde os primórdios, quando ainda era uma pequena empresa. Ela tinha, aliás, contribuído para o seu desenvolvimento. Depois, a empresa atingiu proporções muito maiores, inclusive com ramificações internacionais.

Em 2003, a empresa conta com cerca de mil e duzentos empregados, sendo que noventa e oito por cento deles são executivos formados em grandes escolas de engenharia e gestão.

O estilo de gerenciamento do diretor executivo é um tanto particular. Trata-se de um antigo sindicalista da *Confédération Générale du Travail* (CGT) com ares de ex-sessenta-e-oitista. Mas ele é também muito autoritário, tem sempre razão. O que não o impede de estar, ainda assim, à escuta e atento ao que lhe chega pelos diferentes canais, que são o serviço social, o serviço médico, o CHSCT. No entanto, há alguns anos, contratou uma jurista para a direção do RH, descrita como uma caricatura do autoritarismo e da brutalidade em relação a qualquer pessoa que não se inclinasse diante das diretivas da empresa. E ela se torna, de fato, o braço executivo do diretor, tendo sido recrutada após haver concluído a realização do plano social de uma grande empresa da mesma região.

O ritmo de trabalho é intenso. Trabalha-se em fluxo contínuo e é necessário integrar todas as improvisações resultantes das flutuações do mercado. Assim, é comum que alguns empregados trabalhem até tarde da noite e durante o fim de semana. Os salários são bastante altos e há um esforço para se levar em conta os níveis de salários concedidos na região para não ficar abaixo das outras empresas e, assim, conservar seu poder atrativo. É necessário destacar que, no ano anterior ao suicídio da Sra. V. B., o CHSCT conseguiu que uma pesquisa sobre o estresse no trabalho fosse realizada na empresa.

Frente a esse gerenciamento autoritário, a sindicalização é extremamente fraca. Apenas uma dezena de empregados é sindicalizada.

Nessa empresa, não há tradição de solidariedade entre empregados. O recrutamento é feito em escala mundial. A língua de trabalho é o inglês. Entre os empregados, contam-se trinta e oito nacionalidades diferentes. Ao que parece, os empregados recrutados são ligeiramente "superestimados" em relação às responsabilidades e tarefas reais que lhes são confiadas na empresa. Após vários anos, às vezes mais de cinco, alguns empregados ainda não falam uma só palavra em francês. A integração social na cidade é, portanto, fraca e superficial. A empresa oferece, aliás, vários serviços aos seus empregados, como roupa lavada, atividades de lazer, etc., de modo que eles se veem muito fora do ambiente de trabalho. Há, então, uma convivência entre eles, incluindo suas famílias.

"A CONVIVÊNCIA ESTRATÉGICA"

Mas essa convivência merece ser examinada de perto, pois é bastante complexa. É uma convivência sem solidariedade. As pessoas se encontram com frequência fora do trabalho, mas parece que, no fim das contas, são ainda as relações de trabalho que organizam as relações fora dele. Por exemplo, todo ano a direção organiza uma festa. Praticamente todos os empregados comparecem. Eles comem, dançam, mas parece que vêm também porque, se não o fizerem, correriam o risco de chamar a atenção para si. E não se deve chamar a atenção. Talvez por isso também a sindicalização seja tão fraca. O medo parece estar sempre presente, não tanto o medo de demissão, porque, no fim das contas, isso acontece muito pouco, embora haja algumas, como no caso do chefe da Sra. V. B.; o medo parece mais polarizado por questões de carreira, de promoção e de gratificações em jogo. As gratificações são importantes, não de maneira absoluta, mas o suficiente para que cada um cuide para não comprometer a possibilidade de receber uma parte razoável delas. É necessário também mencionar as entrevistas de avaliação anuais. Nelas se comparam os resultados aos objetivos, fixando-se novos objetivos. As gratificações parecem ser atribuídas pela cara da pessoa, de modo arbitrário. Mas essas entrevistas de avaliação têm pouco impacto concreto. Todos sabem, na empresa, que os dossiês de avaliação servirão apenas no caso da demissão de um colaborador, quando será mostrado, com o apoio de provas, que este custa muito caro em vista do que oferece para a empresa.

A corrida pela promoção e pela carreira parece ligada à anteriormente citada superestimação dos perfis em relação aos cargos ocupados. Levando-se em conta o peso que a expatriação na França representa, os empregados ficam, em certa medida, sem escolha, e a progressão dentro da empresa é sua única saída.

O jogo social consiste então em manter boas relações com os colegas e com os chefes, já que a promoção e a carreira se dão em função da boa reputação junto a estes últimos. Portanto, é necessário fazer-se notar, e a lógica estratégica é a da boa agenda de endereços, das boas relações com as pessoas bem colocadas, das relações personalizadas, em suma, de convívio. Assim, o conformismo é rigorosamente respeitado.

Esboça-se, dessa maneira, um novo mundo social para os colaboradores da empresa, que é um mundo de executivos, um mundo feito para os executivos, mas também, e sobretudo, um mundo produzido pelos executivos. A convivência que reina entre os empregados da empresa não é estruturada pela solidariedade. Muito pelo contrário, o que organiza a convivência é a "camaradagem" que, por trás da bonomia das relações, dissimula um mundo inteiramente submisso à concorrência, onde a referência ao trabalho constantemente é confrontada com a adequação à competência social conformista. Proponho, para caracterizar esse mundo social peculiar, o termo "convivência estratégica".

Compareceram seiscentas pessoas ao funeral da Sra. V. B. Ela era muito conhecida e muito querida na região, o que explica essa afluência. Mas, entre os presentes, não havia quase ninguém da empresa. As reações dos membros da empresa, coletadas de modo não sistemático, sugerem duas explicações complementares a essa abstenção: ir ao funeral poderia, por um lado, ser um desserviço à imagem de conformismo da empresa; por outro, o suicídio da Sra. V. B. suscita julgamentos de condenação: ninguém se suicida quando tem quatro filhos! Seriam necessários mais elementos para poder apreciar a valência defensiva dessa reação. Essa hipótese interpretativa é de difícil, até mesmo impossível, verificação em razão da extrema reticência dos empregados da empresa em falar ou comentar o acontecimento.

Contudo, é necessário se debruçar um instante sobre esse mundo da convivência estratégica, por ser essa uma configuração social nova que poderia muito bem ser uma produção específica da cultura dos executivos nas empresas multinacionais *high-tech*. Na região onde se situa a empresa na qual trabalhava a Sra. V. B., há muitas outras empresas do mesmo tipo.

Ouvindo-se os médicos do trabalho que atuam em várias empresas e que, por isso, frequentemente conhecem várias delas, a clínica sugere que existem de fato muitos problemas psicopatológicos entre esses executivos. A relação com o trabalho, com a organização do trabalho e, sobretudo, com as novas formas de gerenciamento e de gestão importadas do mundo anglo-saxão parece bastante plausível, a ponto de vários profissionais constatarem a necessidade de serem realizadas, ou de realizarem eles mesmos, pesquisas sobre a relação entre estresse e organização do trabalho.

É grande o contraste entre o que resulta do olhar clínico e o que é evocado pelos executivos, quando interrogados. O contraste vai até a divergência. A maioria das pessoas interrogadas relata grande satisfação no seu trabalho e no que diz respeito ao seu modo de vida. A convivência estratégica levanta um problema de interpretação do discurso desses executivos. Seria o conformismo, o medo de se fazer notar e comprometer a sua reputação que faz calar? Seria uma ignorância efetiva do sofrimento em razão da eficácia das estratégias defensivas, ou devido a uma adesão completa a esses valores promovidos pela empresa? Esta última versão é bem possível. Os executivos dessas empresas multinacionais são rigorosamente selecionados. Eles aderem aos valores da livre empresa, do individualismo, da concorrência generalizada? É possível. Se esse for o caso, entenderíamos que tenham alguma reticência em revelar seu sofrimento, que poderia parecer um sinal de fraqueza e funcionar, então, como um estigma desfavorável na luta pela concorrência generalizada entre executivos de todos os níveis. No sistema de valores da livre concorrência, todos consideram perfeitamente normal e justo que se despeça um colaborador se este parecer não estar mais à altura dos objetivos da empresa. Negar a si mesmo o próprio sofrimento às vezes é, talvez, uma condição *sine qua non* para manter e conservar seu lugar.

O fato é que a convivência estratégica funciona, em relação a nossa preocupação clínica de compreender as relações entre novas formas de gerenciamento e de sofrimento, como uma verdadeira conspiração do silêncio que talvez seja simplesmente o reverso de uma recusa muito forte da percepção da realidade. A convivência estratégica envolve completamente trabalho e vida social, graças a uma dependência material e moral em relação à empresa, provedora do emprego e do conforto material, de modo que, no fim das contas, ela poderia muito bem ser entendida como a forma moderna de uma "condição": a condição de executivo, entendida aqui como uma nova forma de servidão, implicando inteiramente a sua vida e a de sua família diante da empresa neoliberal.

Estamos aqui bem longe da condição do operário dependente da empresa paternalista, na medida em que não se trata de pessoas com status social modesto, mas de pessoas que se consideram colaboradores plenos do poderio da empresa à qual juram lealdade.

É à luz dessa condição de servidão própria aos executivos que podemos agora reexaminar o acontecimento desencadeador do processo que leva ao suicídio da Sra. V. B.

O ELEMENTO DESENCADEADOR E A QUESTÃO DA SUBMISSÃO

O processo que envolveu a Sra. V. B. começou claramente com o pedido de tempo parcial para cuidar de seu filho adotivo, sendo quase certo que esse processo se radicalizou em 2002 (janeiro), após ela ter recusado um cargo importante, com promoção, na Espanha. A empresa não tolerou essa decisão da Sra. V. B. Conforme as declarações de várias pessoas interrogadas, fica claro que, para a empresa em questão, pedir um tempo parcial é atestar *de facto* que não se é mais um colaborador. Para a empresa, o trabalho deve ser a preocupação absolutamente prioritária dos colaboradores. Pedir um tempo parcial é indicar que outra coisa conta tanto quanto a empresa na sua vida. A empresa exige, de fato, docilidade, autocensura, silêncio absoluto sobre qualquer problema pessoal não profissional e, principalmente, submissão total.

Pedindo um tempo parcial, a Sra. V. B. desencadeava um processo de crítica, de perda de confiança por parte dos chefes, que devia inevitavelmente ser seguido por manobras de desqualificação, de marginalização. Pedindo um tempo parcial, a Sra. V. B. corria o risco de represálias.

Ela sabia disso? Ou era ingênua? É pouco provável, considerando-se sua perspicácia, inteligência, competência e seu grande conhecimento, não apenas de empresas desse tipo, que ela tinha experimentado internamente, mas também das bases teóricas dessas novas formas de gerenciamento. O mal-estar, aqui, advém do fato de que, em nenhum momento, as represálias foram administradas à Sra. V. B. sob pretexto de que ela teria sido profissionalmente incompetente, que teria faltado com suas responsabilidades ou que teria cometido erros. É preciso insistir nisso, pois esse é um ponto crucial, parece-me, em relação ao que nos preocupa hoje: o trabalho e a qualidade do trabalho estão totalmente *fora de questão* no processo desencadeado pela empresa. A única razão das represálias contra a Sra. V. B. é ela não se mostrar submissa o suficiente. E é isso que caracterizará a situação que a levará ao suicídio. A servidão é, de fato, o centro do conflito.

O erro da Sra. V. B. foi, possivelmente, querer jogar seus valores altruístas e de compassividade contra os da empresa.

Sua obstinação em relação às suas obrigações sociais talvez possa explicar, apesar das represálias das quais era vítima, o fato de não querer acreditar que jogariam no lixo todos os serviços prestados à empresa e todas as competências profissionais que tinham sido amplamente reconhecidas ao longo dos anos. Com efeito, o processo de desestabilização psicológica da qual foi vítima parece ter sido conduzido de maneira rigorosa. Como?

A partir dos testes citados anteriormente.

A Sra. V. B. havia, anteriormente, em período de atividade profissional, feito vários cursos, entre os quais no IAE, que havia, aliás, concluído com distinção. Em 2002, quando é posta de lado, o chefe reconhece por escrito, a cada avaliação, a qualidade do trabalho da Sra. V. B.: "*exceeding target*", "*far exceeding target*" (e uma única vez: "*within target*").

Quais são os testes? Testes de personalidade e de motivação: "Trata-se de um teste detalhado desenvolvido por SHL Group-Saville & Holdsworth Ltd – sociedade internacional de consultores cuja sede é na Inglaterra. *O teste visa determinar com precisão o impacto de diversas situações profissionais sobre a motivação de um indivíduo, destacando aquelas que têm um impacto considerável ou grande, e aquelas que têm um impacto fraco ou nulo. Ele explicita igualmente a personalidade do indivíduo, em especial o seu modo de relação (influência, afiliação, empatia), seu modo de pensamento (análise, criatividade, mudança, estrutura), mas também, o que é pouco usual, visto que ultrapassa em muito o âmbito profissional, seus sentimentos e emoções. Por último, o teste é completado por um exame das aptidões intelectuais. O teste revela uma aptidão da Sra. V. B. de 99%, ou seja, que ela se situa dentro do 1% mais competente dos executivos de alto escalão do mundo inteiro (padrão interno SHL)*" (trecho do processo administrativo da Sra. V. B.).

No plano de suas motivações, transparecia no teste que apenas algumas variáveis muito bem caracterizadas eram capazes de desmotivar a Sra. V. B. A análise detalhada das represálias exercidas contra ela mostra que estas passam por medidas aplicáveis eletiva e exclusivamente sobre as situações identificadas pelo teste como desmotivadoras para a Sra. V. B.

Observemos, no entanto, que essas represálias são rigorosamente simbólicas. Nenhuma violência física foi exercida contra ela. Seu salário, confortável, nunca foi questionado. Contudo, fica evidente que o conflito desestruturante é de ordem simbólica e trata dos seus valores, o que se revela em toda sua dimensão comovente na carta que ela deixou antes de se suicidar.

A ETIOLOGIA DO SUICÍDIO

A Sra. V. B. apresentava uma vulnerabilidade psicológica que é preciso dimensionar para analisar o suicídio: seu altruísmo, termo pelo qual eu resumiria a relação da Sra. V. B. com valores; e seu ativismo, termo pelo qual eu resumiria a potência estênica dos seus diversos compromissos na vida profissional e social. Portanto, seu altruísmo e ativismo davam a suas performances sociais e profissionais um nível que seria incompreensível, sem os quais poderíamos considerar como uma certa rigidez. Sua exigência em tudo era, acima de tudo, uma exigência excessiva em relação a si mesma. É essa exigência impiedosa que constituía, provavelmente, sua falha psicológica. Seria necessário aqui, para argumentar a interpretação diagnóstica, suscitar informações que não posso dar por razões de segredo profissional.

Não fosse a limitação deontológica, eu poderia, entrando em detalhes, mostrar em que consiste precisamente o problema psicopatológico, que era de fato muito sério. Mas isso não mudaria o que, na análise etiológica, diz respeito às práticas de represálias desencadeadas pela empresa. Por quê? O certo é que a Sra. V. B. não conseguiu parar as manobras de intimidação lançadas contra ela. Tinha uma saída: ceder à pressão e partir, sendo que isso é, claramente, o que a empresa queria. Por que se recusou a salvar a própria pele, obstinando-se em sua decisão mortal de não se demitir? Porque estava presa em sua obstinação e revelava-se, de repente, ser de uma extrema rigidez. Era patológica essa rigidez? Sem dúvida nenhuma. Porém, seria precipitado considerar essa rigidez moral patológica o *primum moyens* do suicídio para se livrar de um problema que atinge a todos. Se a Sra. V. B. se suicidou porque era vítima de sua rigidez moral e psicológica, então podemos pensar que nós, que não somos tão rígidos quanto ela, teríamos escapado disso, continuando a achar, portanto, que estamos protegidos. É possível, mas nos teria sido também necessário, no lugar da Sra. V. B., ceder diante de uma injustiça flagrante e perder o emprego. Porém, isso não é tudo. É necessário, nessa situação, desinvestir totalmente o que monopolizou, durante longos anos, nossa existência, nossa energia, o que nos exigiu também muitas renúncias, até mesmo sacrifícios, e também aquilo que mobilizou, talvez, o que há de melhor em nós, e pelo que nutrimos certo orgulho, com razão.

Ceder, desinvestir, é admitir que toda essa implicação subjetiva, ao ser repudiada brutalmente pela empresa, de nada serviu, que ela não nos dá direito a nenhum reconhecimento, que todas as gratificações recebidas até então eram estritamente cínicas e instrumentais, isto é, que fomos enganados, e que agora somos jogados para escanteio. Mas isso não é tudo, é ainda mais difícil: é necessário admitir não apenas que fomos enganados pela empresa, mas que enganamos a nós mesmos. Enganamos a nós mesmos ao acreditar na empresa, no trabalho, no zelo, na utilidade do esforço, das renúncias, do sofrimento; enganamo-nos nessa crença de que, com o sucesso econômico, vem a emancipação. Certamente, havíamos hesitado em crer e nos lançarmos na aventura. É talvez isso que torne o fracasso ainda mais cruel. Em vez de reconhecimento e emancipação, a Sra. V. B. encontra exatamente o contrário: ao fim de sua contribuição para o esforço econômico da empresa e depois do sucesso, há o retrocesso implacável da *injunção à submissão*, que logo se torna uma ordem para tirar o time de campo.

Mesmo sem rigidez moral específica, o ato de ceder é duplamente doloroso, até mesmo perigoso. Para superar a crise, é preciso rever toda a sua vida, rever todos os seus julgamentos e convicções, alterar profundamente a sua relação consigo, com os outros e com a sociedade.

É inútil fingir. Diante dessa provação, todos os que se envolveram completamente no trabalho são vulneráveis, e não apenas a Sra. V. B. E todos sofrem com isso. A clínica da demissão é, a esse respeito, incontestável. Apenas não são atingidos aqueles que nunca investiram no trabalho ou na empresa e os que, cínicos, sempre tiveram outra alternativa, prontos a trair aqueles que neles depositaram confiança.

Mas isso não é tudo. Se quiséssemos estudar detalhadamente a falha psicopatológica da Sra. V. B., a relação entre a falha e a qualidade de trabalho tomaria um significado completamente diferente do que se pode inferir, uma vez que o drama é consumado.

A CARTA E A ACUSAÇÃO

Com efeito, todo mundo, como a Sra. V. B., apresenta certa vulnerabilidade às doenças mentais. Há um consenso entre os profissionais desde o século 20 e os trabalhos de Philippe Pinel, Pierre Jean Georges Cabanis e Antoine-Athanase Royer-Collard.

Mas a psicodinâmica propõe um estudo mais aprofundado sobre essa vulnerabilidade oculta no fundo de cada subjetividade. A análise detalhada da relação subjetiva com o trabalho mostra que nenhum trabalho de qualidade é possível sem o envolvimento total da subjetividade. Enfrentar o real do trabalho, isto é, o que se revela àquele que trabalha por sua resistência aos *savoir-faire*, à técnica, ao conhecimento, isto é, ao controle, implica, para quem não desiste diante das dificuldades, a mobilização de uma inteligência e engenhosidade que passam por transformações da subjetividade e da personalidade. Trabalhar nunca é tão somente produzir; é, no mesmo movimento, transformar-se a si mesmo.

Essa transformação de si mesmo pela relação com a tarefa supõe que o sujeito que enfrenta honestamente o real aceita ser completamente habitado por seu trabalho, inclusive em seus sonhos. É por isso que todos nós sonhamos com nosso trabalho a partir do instante em que demonstramos muita determinação e obstinação nele.

O trabalho pode, em alguns casos, representar para a subjetividade uma experiência assustadora. Mas acontece também de a subjetividade sair dela fortalecida. É precisamente por isso, isto é, devido a esse desafio para a subjetividade, que muitos de nós nos investimos com tanta paixão no trabalho. Porque, em troca desse sofrimento, podemos esperar que nos transformemos, para mais amplamente efetivarmos os poderes de nossa inteligência e de nossa subjetividade.

É por isso que precisamente essas mesmas *falhas*, que podem um dia nos aniquilar, são também o que alimenta a implicação humana no trabalho. E é por causa dessa vulnerabilidade que, às vezes, somos capazes de desempenhos profissionais extraordinários.

A falha psicológica e a vulnerabilidade não podem, então, ser consideradas apenas como um obstáculo ao trabalho. São elas também que conferem à inteligência sua característica (sublimação). Esse era também o caso para a Sra. V. B.: sua rigidez moral era também o que fazia dela uma profissional particularmente brilhante e apreciada. Observa-se que, enquanto essa vulnerabilidade for produtiva, ninguém se preocupa com isso. Essa vulnerabilidade produz, talvez, o que há de melhor, mas pode também dar origem a um drama.

E a empresa é capaz de utilizar a falha tanto como potência de trabalho quanto como retransmissor da desestabilização psicológica, conforme bem entender, bastando, para isso, tomar as decisões administrativas: primeiro, gratificar; depois, repudiar ou perseguir.

A empresa explora nossas vulnerabilidades e não há, talvez, nada de condenável nessa atitude, dado que, em alguns casos, podemos também nos beneficiar disso. Em contrapartida, quando a relação com o trabalho é desestabilizada, como no caso apresentado, por formas criticáveis de gerenciamento, há riscos sérios para a saúde mental e física daquele ou daquela pego pela tempestade.

DESESTABILIZAÇÃO POR MEIO DO GERENCIAMENTO E DEFECÇÃO DA SOLIDARIEDADE

Uma situação progressiva de degradação psicológica por meio de uma estratégia intencional da hierarquia de uma empresa não é excepcional. Se o problema se torna um drama, é também por uma razão – secundária e adjuvante, certamente, mas suficientemente importante para que chame sobre ela a atenção do profissional preocupado com a análise etiológica.

Impedida pelo processo de represálias de exercer o seu potencial no espaço profissional, a Sra. V. B. sente-se fracassada, tendo em vista sua exigência em relação a si mesma. Ela perde progressivamente a autoconfiança e logo vê sua autoestima ameaçar desabar. Começa, então, a se acusar de impotência para superar sua crise e a ser habitada por sentimentos de vergonha e indignidade.

Esse estado mental repercute progressivamente em sua vida familiar. Temendo, pelo seu estado moral, tornar-se nociva para seus próprios filhos, delega cada vez mais tarefas domésticas e familiares ao seu esposo. Desnecessário explicar em detalhes as incidências dessa situação na vida do casal, mas é evidente que o dia a dia, nessas condições, torna-se difícil, o que faz a Sra. V. B. sofrer ainda mais.

A ideia de suicídio como libertação começa, então, a se formar. Nesse complicado combate consigo mesma, é necessário levar em conta, parece-me, o esgotamento. É também porque sente suas forças diminuírem e sua energia vacilar que a Sra. V. B. teme o colapso – e foge do pesadelo suicidando-se.

Se insisto no aspecto psicopatológico do drama, é para mostrar o quanto é difícil a análise etiológica do suicídio no trabalho. Examinando-se essas considerações sobre os transtornos psicopatológicos da Sra. V. B., seríamos tentados a atribuir-lhes o papel determinante no suicídio. Mas o conteúdo da sua carta e o seu suicídio perto da empresa obrigam a reconsiderar esse ponto de vista.

Uma desestabilização progressiva como a da Sra. V. B., em geral, não passa despercebida pelos colegas, e a solidariedade funciona, então, geralmente, como uma verdadeira prevenção das descompensações, ainda que o objetivo notório da solidariedade não seja a prevenção das descompensações, mas a luta contra a injustiça.

A Sra. V. B. foi vítima de injustiças, mas não encontrou solidariedade. Parece, de fato, que esta não tinha muito lugar nesse novo modelo de relação no trabalho em que, a um gerenciamento que exige a submissão de cada empregado à empresa, responde com a "convivência estratégica" dos colaboradores, que constitui uma cultura da solidão e do "cada um por si" em meio à multidão desvinculada de qualquer vínculo de solidariedade.

O suicídio da Sra. V. B. nos lança em novas formas de servidão que acompanham a cultura do desempenho. O que essa história nos ensina é que as patologias da servidão, anteriormente reservadas às pessoas modestas, do empregado doméstico à criada, afetam também agora os executivos, incluindo os de alto escalão de empresas multinacionais. Eis o que temo ser relegado à escuridão nesses suicídios nos locais de trabalho: o espectro de formas inteiramente novas de servidão que colonizam o mundo do trabalho e das quais nenhum de nós hoje está livre.

Com efeito, repito e destaco, porque é o que há de mais insólito nesse olhar da clínica sobre as relações sociais de trabalho: a despeito de todas as manobras utilizadas para desestabilizar a Sra. V. B., seu desempenho permaneceu no mais alto nível até o fim. A cultura do desempenho nega a si mesma, aqui, por ultrapassar seus próprios limites. Se desestabilizam a Sra. V. B., não é porque ela não é mais eficiente, nem porque teria se tornado inútil: é por não ser submissa o suficiente. A servidão que vai até a submissão como questão central da organização do trabalho é mais importante que o trabalho e a rentabilidade. Sua independência de espírito é intolerável, e ela deve ceder a qualquer preço. Ela não apenas cedeu: desestruturou-se e suicidou-se. O suicídio da Sra. V. B. é, de certo modo, o resultado das novas práticas de dominação. Sou tentado a pensar, mas isso precisa ser verificado pela análise de outros casos, que essa onda de suicídios no trabalho, totalmente nova, é a marca da radicalização dos métodos de dominação. Esses suicídios revelam uma reviravolta na relação entre servidão e dominação na empresa. É esse, provavelmente, o sentido balbuciado de maneira atroz através dessa série de suicídios. Para além de sua morte, essa me parece ser a mensagem que as vítimas gritam para nós.

REFERÊNCIAS

DEJOURS, C.; BÈGUE, F. *Suicide et travail: que faire?*, Paris, PUF, 2009.

FLOTTES, A.; ROBERT, A. *Enquête de psychodynamique du travail à SERAA-EDF-RTE* (rapport confidentiel), 2002.

GOURNAY, M.; LANIÈCE, F.; KRYVENAC, I. "Étude des suicides liés au travail en Basse-Normandie", *Travailler*, 2004, 12: 91-98.

MOLINIER, P.; SCHELLER, L.; RIZET, C. *Enquête de psychodynamique du travail auprès des cadres infirmiers et des cadres supérieurs infirmiers de l'AP-HP, Convention: AP-HP/CNAM, Rapport Ronéo* (rapport confidentiel), 1998; *Enquête de psychodynamique du travail auprès des adjoints cadres techniques et des ingénieurs subdivisionnaires de l'AP-HP, Convention: AP-HP/CNAM, Rapport Ronéo* (rapport confidentiel), 1999.

CONSELHO EDITORIAL
Gustavo Faraon, Rodrigo Rosp e Samla Borges
REVISÃO
Fernanda Lisbôa e Raquel Belisario
PROJETO GRÁFICO
Bloco Gráfico
ASSISTENTE DE DESIGN
Stephanie Y. Shu
FOTO DO AUTOR
Arquivo pessoal

DADOS INTERNACIONAIS DE CATALOGAÇÃO NA PUBLICAÇÃO (CIP)

*D327p Dejours, Christophe
Psicodinâmica do trabalho: casos clínicos /
Christophe Dejours ; trad. Vanise Dresch. —
Porto Alegre: Dublinense, 2017.
144 p. ; 23 cm.*

ISBN: 978-85-8318-090-6

1. Psicologia Organizacional. 2. Saúde Mental. 3. Fadiga. 4. Psicopatologia do trabalho. 5. Psicanálise. I. Dresch, Vanise. II. Título.
CDD 159.944

*Catalogação na fonte:
Ginamara de Oliveira Lima (CRB 10/1204)*

Porto Alegre • RS
contato@dublinense.com.br

Composto em ARNHEM,
impresso na PRINTSTORE,
em AVENA 90g/m²,
no VERÃO de 2025.